강력한 이화여대 자연계 수리논술

기출문제

저자 소개

저자 김근현은 현재 탁트인 교육, 일으킨 바람, 에듀코어 대표이다.

前 메가스터디 온라인에서 대입 논술과 면접, 자기소개서, 학생부종합 등 다양한 동영상 강의를 하였다.

현재는 학습 프로그램 개발 및 연구 활동을 통해 교육의 발전을 고민하고 있다.

홍익대학교에서 전자전기공학부를 졸업하고 동대학원에서 전자공학 석사(반도체 레이저)를 전공하였다. 또한 연세대학교 교육경영최고위자 과정을 마쳤으며 연세대학교 교육대학원에서 평생교육 경영을 공부하고 있다.

강력한 이화여대 자연계 논술 기출문제

발   행 | 2024년 03월 11일
개정판 | 2024년 06월 26일
저   자 | 김근현
펴낸이 | 김근현
펴낸곳 | 일으킨 바람
출판사등록 | 2018.11.12.(제2018-000186호)
주   소 | 경기도 고양시 일산서구 하이파크 3로 61 409동 1503호
전   화 | 031-713-7925
이메일 | ileukinbaram@gmail.com

ISBN | 979-11-93208-80-9

www.iluekinbaram.com

강력한 이화여대 자연계

수리논술 기출문제

김 근 현 지음

차례

머리말

 책을 쓰기 위해 책상에 앉으면 아쉬움과 안타까움, 나의 게으름에 늘 한숨을 먼저 쉰다.
왜 지금 쓸까?
왜 지금에서야 이 내용을 쓸까?
왜 지금까지 뭐했니?
스스로 자책을 한다.

또 애절함도 함께 느낀다.
시험이 코앞에서야 급한 마음에 달려오는
수험생들에게 왜 미리 제대로 준비된 걸 챙겨주지 못했을까?
그렇게 하루, 한 달, 일 년 그렇게 몇 해가 지나 이제야 조금 마음의 짐을 내려놓는다.

입에 단내 가득하도록 학생들에게 강의를 했고,
코앞에 다가온 연속된 수험생의 긴장감을 함께하다보면
그렇게 바쁘게 초조하게 지냈던 것 같다.

그렇게 함께했던 시간을 알기에
부족하겠지만
부디 이 책으로 수험생들이 부족한 일부를 채울 수 있고,
한 걸음이라도 희망하는 꿈을 향해 다갈 수 있길 간절히 바래 본다.

김 근 현

I. 이화여자대학교 논술 전형 분석

1. 논술 전형 분석

1) 전형 요소별 반영 비율

구분		총 비율
일괄합산	반영비율(%)	100%
	최고점 / 최저점	1000점 ~ 0점

2) 수능 최저학력 기준

계열/모집단위	최저학력기준	비고
자연계열	국어, 수학, 영어, 탐구(과학) 4개 영역 중 2개 영역 등급 합 5 이내(수학 포함)	[탐구영역] 응시한 과목 중 상위 1개 과목의 등급으로 반영
약학전공	국어, 수학, 영어, 탐구(과학) 4개 영역 중 4개 영역 등급 합 5 이내	
스크랜튼학부 (자유전공)	국어, 수학, 영어, 탐구(사회/과학) 4개 영역 중 3개 영역 등급 합 5 이내	

※ 자연계열(약학전공 포함)은 수학 영역(미적분, 기하 중 택1)을 응시하여야 함

2. 논술 분석

1) 출제 구분 : 계열 구분

2) 출제 유형 :

계 열	모집단위	출제유형	출제범위	시간
자연 I	자연과학대학, 공과대학, 인공지능대학 컴퓨터공학과, 사이버보안학과, 신산업융합대학 융합콘텐츠학과, 식품영양학과, 융합보건학과, 간호대학	수리논술 I	수학, 수학I · II, 확률과 통계, 미적분, 기하를 포함한 고교 전 교육과정 (2015 개정 교육과정)	100분
자연 II	약학대학 약학전공	수리논술 II		

3) 출제 목적:

가. 고교과정에서의 학업성취도 평가
▶ 기초 교과지식 및 원리의 이해력과 적용 능력
▶ 다양한 교과내용에 대한 학습자 주도적 응용 능력
나. 대학에서의 수학 능력 평가
▶ 사고의 논리성·합리성, 논증 능력
▶ 학문적 발전가능성과 잠재력
다. 융복합적 사고력 및 의사소통 능력 평가

▸ 언어적 사고력과 영역 간 재구성·종합적 분석 능력

▸ 과정 중심적 이해력, 비판적 사고력과 표현력

▸ 수리적·논리적 사고력 및 종합적 분석 능력

4) 논술 평가 :

가. 주어진 상황과 제시문 내용에 대한 정확한 이해력

▸ 문제에서 제시하고 있는 상황에 대한 정확한 분석력

▸ 핵심적인 개념, 주장과 근거, 제시문에 대한 종합적 이해력

▸ 올바른 자료해석 능력 및 사고의 정확성과 통합성

나. 객관적·논리적 근거에 입각한 논증력

다. 제시문 주장에 대한 비판적 사고력

▸ 다양한 상황 및 관점을 객관적·논리적 근거에 입각한 서술 능력

▸ 주어진 조건과 관계없는 장황한 자기주장은 감점 요인

▸ 지문에 대한 정확한 이해를 바탕으로 한 비판 능력

▸ 지문(주장)들 상호 간의 관계에 대한 사고력

▸ 문항 자료의 정확한 분석을 통한 지문 주장에 대한 비판 능력

▸ 구체적 사례와 일반적 주장의 논리적 관계에 대한 사고 능력

라. 언어적 의사소통 능력 및 종합 능력

▸ 정확한 어법과 표현의 명료성 등

▸ 종합적 문제해결 능력과 일관성 있는 사고력과 논리력

3. 출제 문항 수
● 3문항 - 대문항 3문항, 각각 4개 정도의 소문항 포함

4. 시험 시간
· 100분

5. 답안 작성시 유의사항

■ 일반 유의사항

가. 질문 요지의 정확한 파악

▸ 제시문과 질문의 요지에 대해 정확히 이해한 후 답변을 시작할 것

▸ 주관적 진술보다는 명확한 근거를 바탕으로 비판적 사고력 중심의 논술을 전개할 것

나. 간단명료하고 논리적인 답변 필요

▸ 주어진 제시문의 내용을 논거로 하여 간단, 명료하게 답변할 것

▸ 문제와 직접적인 관련성이 없는 자신의 상식을 중언부언하지 말 것

▸ 요구된 답안에 맞게 답안 길이를 조정할 것

다. 고교 수학 과정에서 터득한 관련 주제의 지식들을 종합한 새로운 관점 제시

▶ 제시문에 나온 주제들을 정확히 이해하고 이와 관련한 다양한 지식들을 활용할 것

▶ 제시된 주제와 관련한 다양한 지식들을 종합하여 새로운 관점을 제시하도록 노력할 것

▶ 새로운 관점의 제시가 지나친 비약이나 논리적 허구성에 빠지지 않도록 할 것

■ 답안 작성 유의사항

1. 시험 시간은 100분임.

2. 답안은 검은색 펜이나 연필로 작성할 것.

3. 학교명, 성명 등 자신의 신상에 관련된 사항을 답안에는 드러내지 말 것.

4. 연습은 문제지 여백을 이용할 것.

5. 답안은 해당 문항 답안지에만 작성할 것.

II. 기출문제 분석

1. 연도별 출제 범위 및 핵심 개념

학년도	교과목	핵심개념
2024 수시 Ⅰ	수학, 수학Ⅰ, 수학Ⅱ, 미적분	● 로그함수, 자연로그, 삼각함수, 삼각함수의 덧셈정리, 등비수열, 수의 극한, 치환적분, 수학적 귀납법, 사잇값 정리
	수학, 수학Ⅱ, 미적분	● 함수의 증가와 감소, 극대와 극소, 함수의 그래프, 도함수, 지수함수의 극한
	수학, 수학Ⅰ, 미적분	● 직선의 방정식, 원의 방정식, 점과 직선 사이의 거리, 삼각함수, 삼각함수의 덧셈정리
2024 수시 Ⅱ	수학, 수학Ⅰ, 수학Ⅱ, 미적분	● 로그함수, 자연로그, 삼각함수, 삼각함수의 덧셈정리, 등비수열, 수열의 극한, 치환적분, 수학적 귀납법, 사잇값 정리, 정적분
	수학, 수학Ⅱ, 미적분	● 함수의 증가와 감소, 극대와 극소, 함수의 그래프, 도함수, 지수함수의 극한
	수학, 수학Ⅰ, 수학Ⅱ, 미적분	● 직선의 방정식, 원의 방정식, 점과 직선 사이의 거리, 삼각함수, 삼각함수의 덧셈정리
2024 모의 Ⅰ	수학, 수학Ⅱ, 미적분	● 이차방정식의 근과 계수와의 관계, 정적분, ● 이차함수의 그래프와 직선의 위치 관계, 등비급수
	수학, 수학Ⅱ	● 자연수와 유리수의 성질, 항등식의 성질과 미정계수법, 명제의 조건, 명제의 증명, 명제의 역과 대우, 귀류법 ● 다항함수의 미분, 증가와 감소, 사차방정식의 근의 특성 ● 여러 가지 증명, 함수의 그래프, 방정식, 부등식의 활용
	수학	● 점과 직선 사이의 거리, ● 원의 방정식, 원과 직선의 위치 관계 ● 실수의 성질
2024 모의 Ⅱ	수학, 수학Ⅱ, 미적분	● 이차함수의 성질, 이차함수의 접선의 변화, ● 이차함수의 그래프와 직선의 위치 ● 정적분과 급수
	수학, 수학Ⅱ	● 자연수와 유리수의 성질, 항등식의 성질과 미정계수법, 명제의 조건, 명제의 증명, 명제의 역과 대우, 귀류법 ● 다항함수의 미분, 증가와 감소, 사차방정식의 근의 특성 ● 여러 가지 증명, 함수의 그래프, 방정식, 부등식의 활용
	수학	● 점과 직선 사이의 거리, ● 원의 방정식, 원과 직선의 위치관계 ● 실수의 성질

학년도	교과목	핵심개념
2023 수시	수학, 수학Ⅰ, 수학Ⅱ, 미적분	● 함수의 그래프, 직선의 방정식, 함수의 극한과 연속 ● 수열의 합, 수열의 극한
	수학, 수학Ⅱ	● 이차함수의 그래프와 직선의 위치 관계, ● 이차방정식의 판별식, 접선의 방정식, ● 함수의 그래프, 도형의 이동
	수학, 수학Ⅰ	● 원의 방정식, 도형의 이동, 호도법, 등차수열
2023 모의	수학, 수학Ⅰ, 수학Ⅱ	● 수열의 귀납적 정의, 수학적 귀납법 ● 접선의 방정식, 절대부등식
	수학, 수학Ⅱ	● 삼차함수의 성질, 함수의 미분과 적분의 관계 ● 함수의 극대와 극소, 정적분, 함수의 극한
	수학	● 함수 그래프와 집합, 원의 방정식 ● 두 점 사이의 거리, 두 직선의 평행과 수직, ● 점과 직선 사이의 거리, 원과 직선 사이의 거리
2022 수시	수학, 수학Ⅰ, 수학Ⅱ	● 수열의 귀납적 정의, 수학적 귀납법, 함수의 증가, ● 함수의 그래프, 방정식과 부등식
	수학, 수학Ⅱ, 기하	● 타원, 이차곡선과 직선의 위치 관계, ● 이차방정식의 판별식, 이차방정식의 근과 계수의 관계, ● 접선의 방정식, 점과 직선 사이의 거리, ● 함수의 증가와 감소, 함수의 최댓값, 도함수
	수학	● 원, 직선, 원과 직선의 위치 관계, 함수와 그래프
2022 모의	수학Ⅰ, 수학Ⅱ, 미적분	● 지수함수와 접선의 성질, 평균값 정리 ● 함수의 증가와 감소, 극대와 극소 ● 함수의 미분, 지수함수의 미분과 증가, 접선의 방정식
	수학, 수학Ⅱ, 미적분	● 다항함수의 정적분, 부분적분법, 치환적분법, ● 정적분의 기본 성질, 여러 가지 적분법 ● 다항식의 연산, 도함수
	수학	● 집합, 원의 방정식, 두 직선의 평행과 수직 ● 두 점 사이의 거리, 점과 직선 사이의 거리 ● 함수의 뜻과 그래프, 원과 직선 사이의 거리

학년도	교과목	핵심개념
2021 수시	수학, 수학 I, 수학 II, 미적분	● 유리함수, 최댓값, 증가함수, 도함수, ● 수열의 귀납적 정의, 수학적 귀납법
	수학, 미적분, 기하	● 삼각함수의 덧셈정리, 이면각, 정사영, ● 좌표공간, 공간좌표
	수학, 수학 I, 수학 II, 미적분	● 연속함수, 정적분, 일대일대응, 순열
2021 모의	수학 I, 수학 II, 미적분	● 지수함수와 로그 함수의 성질, 함수의 미분 ● 수열의 수렴, 지수함수와 로그함수의 미분과 증가 ● 평균값 정리
	수학 I, 수학 II,	● 함수의 대칭, 홀함수와 짝함수, ● 지수함수
	수학 I, 수학 II, 미적분	● 포물선의 접선, 삼차방정식, 정적분을 활용한 도형 넓이 ● 수직인 두 직선, 직선의 기울기,

2. 연도별 출제 의도

학년도	출제의도
2024 수시 Ⅰ	<ul><li>주어진 적분을 삼각함수의 덧셈정리와 로그함수의 기본 성질을 활용하고 치환적분하여 다루기 쉬운 형태로 변형할 수 있는 능력과 수학적 귀납법을 사용하여 적분값을 추론하는 능력을 평가하기 위해 출제하였다.</li><li>1-(1) 삼각함수의 성질에 대한 이해 바탕으로 치환적분을 적절히 활용할 수 있는 능력을 평가한다.</li><li>1-(2) 주어진 적분을 삼각함수의 성질과 삼각함수 덧셈정리를 활용하여 치환적분하기 쉬운 형태로 변형할 수 있는지 평가한다.</li><li>1-(3) 수열과 관련된 함수의 성질들을 적용하여 수학적 귀납법을 활용하는 수학적 추론 능력을 평가한다.</li><li>1-(4) 로그함수와 삼각함수의 기본 성질을 활용하여 주어진 부등식을 유추할 수 있는 수리적 능력을 평가한다.</li><li>1-(5) 수열의 극한과 함수의 연속성을 바탕으로 적분값을 추론하는 능력을 평가한다.</li><li>2-(1) 여러 가지 함수의 미분법을 통해 주어진 함수의 도함수를 정확히 계산하여야 한다. 그리고 도함수의 부호를 통해 함수의 증가와 감소를 판정하고, 이를 통해 함수의 그래프 개형을 그리고 극대와 극소를 설명할 수 있는 능력을 평가한다. 추가로 함수가 0보다 작은 값의 x범위에서 감소하지만 함숫값이 항상 0보다 크다는 점을 착안하여 x축이 점근선이 된다는 사실을 자세히 관찰해야 한다.</li><li>2-(2) 무리수 e의 근삿값을 이용하여 정수에 대응하는 함숫값과 극값의 대소 관계를 통해 정수에 대응하는 함숫값과 극값의 대소관계를 결정할 수 있는 수리적 조작 및 계산 능력을 확인한다.</li><li>2-(3) x가 양수와 0 또는 음수인 2가지 경우에 따라 극값 사이에 정수에 해당하는 함숫값이 존재할 수 있는지에 관한 상황을 조사하는 능력을 파악한다. x가 양수일 때 함수가 증가하는 사실과 문항 (2)의 결과를 적절히 이용하는 과정을 평가하고 x가 0 또는 음수일 때 문항 (1)의 결과를 통해 최댓값과 최솟값을 결정하는 수학적 추론 능력을 점검한다.</li><li>2-(4) 직선에 $y = k$ 대하여 k의 값에 따라 교점의 개수를 3가지 경우로 나눌 수 있는지 유추하는 능력을 평가하고 각 경우에 어느 특수한 정수근을 포함하고 다른 근은 어떤 특성을 가지는지 구체적인 상황을 조사하는 능력을 파악한다. 이를 바탕으로 문항 (2)의 결과로부터 서로 다른 두 개의 정수가 동시에 같은 함숫값에 대응할 수 없다는 사실을 확인해 가는 과정을 평가한다.</li><li>문제는 좌표평면의 원과 호의 관계로 표현되는 도형의 넓이의 최댓값을 구하는 문제로 주어진 문제를 원과 직선의 관계로 분석한 후 이를 바탕으로 최댓값에 대한 조건을 수리적으로 추론하고 풀이를 기획 및 수행하는 수리적 문제 해결 능력을 평가하는 문제이다. 이 과정에서 좌표평면 위의 두 점 사이의 거리, 호의 길이, 부채꼴의 넓이, 삼각함수의 덧셈정리의 활용, 삼각함수를 이용한 삼각</li></ul>

학년도	출제의도
	형의 넓이, 점과 직선 사이의 거리, 원과 직선의 위치 관계에 관한 수리적 개념의 이해와 종합적 활용 능력, 그리고 문제 해결을 위한 효율적 계산의 설계와 수행에 관한 계산 능력의 수월성을 평가한다. ● 3-(1) 평면 위의 두 점을 지나는 직선의 방정식을 구하는 문제로 수리적 개념의 이해와 조작 능력을 평가한다. ● 3-(2) 삼각함수의 성질을 활용하여 각을 구하고 호의 길이를 구하는 문제로 삼각함수의 덧셈정리의 조작적 활용 능력과 호의 길이에 대한 계산 능력을 평가한다. ● 3-(3) 주어진 도형의 넓이를 삼각형과 부채꼴에 관한 도형의 넓이로 분석하고 이로부터 주어진 도형의 넓이를 구하는 문제로 도형에 관한 수리적 추론 능력과 조작 능력, 계산 능력을 평가한다. ● 3-(4) 원 위의 점에 관한 조건으로 정의된 함수를 점과 직선 사이의 거리에 관한 문제로 이해하고 함수의 최댓값에 관한 문제를 원의 접선에 관한 문제로 해석하여 최댓값을 구하는 문제로 원에 관한 도형으로 제시된 조건을 수리적으로 조작하고 최댓값에 대한 원과 접선에 관한 추론을 바탕으로 최댓값에 대한 계산을 수행하는 종합적인 수리적 능력을 평가한다.
2024 수시 II	● 주어진 적분을 삼각함수의 덧셈정리와 로그함수의 기본 성질을 통해 치환적분하여 다루기 쉬운 형태로 변형할 수 있는 능력과 수학적 귀납법을 사용하여 적분값을 추론하는 능력을 평가하고자 함. ● 1-(1) 삼각함수의 성질에 대한 이해 바탕으로 치환적분을 적절히 활용할 수 있는 능력을 평가한다. ● 1-(2) 주어진 적분을 삼각함수의 성질과 삼각함수 덧셈정리를 활용하여 치환적분하기 쉬운 형태로 변형할 수 있는지 평가한다. 수열과 관련된 함수의 성질들을 적용하여 수학적 귀납법을 활용하는 수학적 추론 능력을 평가한다. ● 1-(3) 로그함수와 삼각함수의 기본성질을 활용하여 주어진 부등식을 유추할 수 있는 수리적 능력을 평가한다. ● 1-(4) 수열의 극한과 함수의 연속성을 바탕으로 적분값을 추론하는 능력을 평가한다.
	● 2-(1) 여러 가지 함수의 미분법을 통해 주어진 함수의 도함수를 정확히 계산하여야 한다. 그리고 도함수의 부호를 통해 함수의 증가와 감소를 판정하고, 이를 통해 함수의 그래프 개형을 그리고 극대와 극소를 설명할 수 있는 능력을 평가한다. 추가로 x축이 점근선이 된다는 사실을 자세히 관찰해야 한다. ● 2-(2) 주어진 부등식이 함수의 그래프와 특정한 정수에 대응하는 함숫값을 지나면서 x축에 평행한 직선의 교점의 위치를 파악하여 정수가 아닌 다른 근이 어느 두 정수 사이에 놓이게 되는지의 구체적인 상황을 묻고 있음을 추론하는 능력을 평가한다. 이 과정에서 무리수 e의 근삿값을 이용하여 몇 가지 정수에 대응하는 함숫값과 극값의 대소관계를 결정할 수 있는 수리적 조작 및 계산 능력을 확인한다.

학년도	출제의도
	● 2-(3) 직선에 $y=k$ 대하여 k의 값에 따라 교점의 개수를 3가지 경우로 나눌 수 있는지 유추하는 능력을 평가하고 각 경우에 어느 특수한 정수근을 포함하고 다른 근은 어떤 특성을 가지는지 구체적인 상황을 조사하는 능력을 파악한다. 이를 바탕으로 문항 (2)의 결과로부터 서로 다른 두 개의 정수가 동시에 같은 함숫값에 대응할 수 없다는 사실을 확인해 가는 과정을 평가한다.
	● 좌표평면의원과 호의 관계로 표현되는 도형의 넓이에 대한 문제로 원과 직선의 관계로 주어진 문제를 이해하고 최댓값과 최솟값에 대한 조건을 수리적으로 추론한 후 이를 바탕으로 풀이를 기획하고 수행하는 수리적 문제 해결 능력을 평가하는 문제이다. 이 과정에서 좌표평면의 위 두 점 사이의 거리, 호의 길이, 삼각함수의 덧셈정리의 활용, 점과 직선 사이의 거리, 원과 직선의 위치 관계에 관한 수리적 개념의 이해와 종합적 활용 능력, 그리고 문제 해결을 위한 계산의 효율적 설계와 수행에 관한 계산 능력의 수월성을 평가한다. ● 3-(1) 평면의 위 두 점을 지나는 직선의 방정식을 구하는 문제로 수리적 개념의 이해와 조작 능력을 평가한다. ● 3-(2) 삼각함수의 성질을 활용하여 각을 구하고 호의 길이를 구하는 문제로 삼각함수의 덧셈정리의 조작적 활용 능력과 호의 길이에 대한 계산 능력을 평가한다. ● 3-(3) 원 위의 점에 관한 조건으로 정의되는 함수를 점과 직선 사이의 거리에 관한 문제로 이해하고 함수의 최댓값과 최솟값에 관한 문제를 원의 접선에 관한 문제로 해석하여 최댓값과 최솟값을 구하는 문제이다. 주어진 도형을 삼각형과 부채꼴에 관한 도형으로 분석하는 수리적 추론 능력과 조작 능력, 효율적 계산 능력을 평가하고, 제시된 조건을 수리적으로 조작하여 최댓값과 최솟값에 대한 원과 접선에 관한 추론을 바탕으로 최댓값과 최솟값의 차에 대한 계산을 수행하는 종합적인 수리적 능력을 평가한다.
2024 모의 Ⅰ	● 이차함수의 성질을 이해하고 문제 풀이의 기초가 되는 이차함수의 접선의 변화를 유추하기 위해 제시된 함수의 상태를 분석하여 수학적으로 추론하여 적용하는 문제이다. 이 과정에서 이차함수의 그래프와 직선의 위치에 대한 수리적 이해, 정적분과 급수에 관한 계산 능력을 점검한다. 또한, 이차방정식의 근과 계수와의 관계, 이차함수의 성질을 이해하고 활용할 수 있는지를 평가한다. ● 자연수와 유리수의 기본적인 성질을 이해하고 귀류법을 활용하여 주어진 문제의 결론을 수리적으로 추론하는 문제이다. 이 과정에서 제시된 조건을 통해 미지의 계수를 정하는 능력을 점검하고, 명제의 가정과 이미 알려진 성질, 조건 및 정의를 근거로 주어진 명제가 참임을 논리적으로 밝히는 수리적 증명 능력을 평가하고자 한다. 또한 다항함수의 미분, 증가와 감소 등의 수리적 개념을 효과적으로 활용하여 주어진 사차방정식의 근의 특성을 함수의 개형을 통해 판별하는 능력을 평가하고자 한다.

학년도	출제의도
	● 좌표평면의 원과 직선의 관계로 주어진 문제를 이해하고, 주어진 조건에 대한 수리적 추론을 바탕으로 풀이를 기획하고 수행할 수 있는 수리적 문제 해결 능력을 평가하는 문제이다. 이 과정에서 직선과 점의 거리, 원과 직선의 위치 관계, 실수의 성질에 관한 수리 개념의 이해와 종합적 활용 능력, 그리고 문제 해결에 필요한 수리적 정보 수집을 위한 효율적 계산의 설계와 수행에 관한 계산 능력의 수월성을 평가한다.
2024 모의Ⅱ	● 이차함수의 성질을 이해하고 문제 풀이의 기초가 되는 이차함수의 접선의 변화를 유추하기 위해 제시된 함수의 상태를 분석하여 수학적으로 추론하여 적용하는 문제이다. 이 과정에서 이차함수의 그래프와 직선의 위치에 대한 수리적 이해, 정적분과 급수에 관한 계산 능력을 점검한다. 또한, 이차방정식의 근과 계수와의 관계, 이차함수의 성질을 이해하고 활용할 수 있는지를 평가한다. ● 자연수와 유리수의 기본적인 성질을 이해하고 귀류법을 활용하여 주어진 문제의 결론을 수리적으로 추론하는 문제이다. 이 과정에서 제시된 조건을 통해 미지의 계수를 정하는 능력을 점검하고, 명제의 가정과 이미 알려진 성질, 조건 및 정의를 근거로 주어진 명제가 참임을 논리적으로 밝히는 수리적 증명 능력을 평가하고자 한다. 또한 다항함수의 미분, 증가와 감소 등의 수리적 개념을 효과적으로 활용하여 주어진 사차방정식의 근의 특성을 함수의 개형을 통해 판별하는 능력을 평가하고자 한다. ● 좌표평면의 원과 직선의 관계로 주어진 문제를 이해하고, 주어진 조건에 대한 수리적 추론을 바탕으로 풀이를 기획하고 수행할 수 있는 수리적 문제 해결 능력을 평가하는 문제이다. 이 과정에서 직선과 점의 거리, 원과 직선의 위치 관계, 실수의 성질에 관한 수리 개념의 이해와 종합적 활용 능력, 그리고 문제 해결에 필요한 수리적 정보 수집을 위한 효율적 계산의 설계와 수행에 관한 계산 능력의 수월성을 평가한다.
2023 수시	● 주어진 함수들에 의해 결정되는 도형을 파악하고, 해당하는 도형의 넓이를 구하고 관련된 극한값을 구하는 문제이다. 함수들에 의해 결정되는 도형을 추론하고 점과 직선 사이의 거리 등의 간단한 수리적 도구를 활용하여 도형의 넓이를 구하고 관련된 극한값을 구할 수 있는 수리적 조작 능력을 평가한다. 또한 주어진 함수들의 조건을 만족시키는 범위를 결정하고 극한의 대소 관계를 활용하여 결과를 도출할 수 있는 수리적 추론 능력을 평가한다. ● 1-(1). 주어진 함수의 그래프를 이해하고 주어진 구간에서 직선과 함수의 그래프로 둘러싸인 도형을 유추하여 넓이를 구할 수 있는 수리적 계산 능력을 평가한다. ● 1-(2). 주어진 구간에서 직선과 함수의 그래프가 두 점에서 만날 조건을 유추할 수 있는 추론 능력과 둘러싸인 도형의 넓이를 구할 수 있는 수리적 계산 능력을 평가한다. ● 1-(3). 주어진 구간에서 직선과 함수의 그래프가 두 점에서 만나도록 하는 자연수의 범위를 유추하는 추론 능력과 관련된 극한값을 구할 수 있는 수리적 계산 능력을 평가한다. ● 1-(4). 수열의 합을 구하고 앞선 문항들에서 파악된 결과들과 극한의 성질들을 활용하여 극한값을 구할 수 있는 수리적 계산 능력을 평가한다.

학년도	출제의도
	<ul><li>이차함수로부터 유도된 함수의 그래프와 직선의 교점에 관한 조건을 수리적 조작을 통해 파악하고 교점의 개수와 교점을 특정하는 직선의 위치를 추론하는 문제이다.</li><li>주어진 조건에 관한 함수와 직선의 위치 관계를 판별하는 수리적 추론 능력을 평가한다.</li><li>그리고 이차방정식의 판별식을 활용하여 직선과 주어진 함수의 그래프가 접하는 상황을 판별하고 해당하는 도형의 넓이를 비교 판정하는 능력을 평가한다.</li><li>2-(1). 좌표평면에서 절댓값 기호를 포함한 이차함수의 그래프가 주어지고 기울기가 정해진 직선의 y 절편을 따라 움직일 때 교점의 개수의 변화를 판별하는 능력을 평가한다.</li><li>2-(2). 절댓값 기호를 포함한 이차함수와 직선이 3개의 점에서 만나려면 접해야 한다는 사고의 과정과 그때의 직선의 범위를 구하는 능력을 평가하고, 이차방정식의 판별식을 활용하여 구체적인 상황을 조사하는 능력을 평가한다.</li><li>2-(3). 그래프의 개형을 파악하여 직선과 함수의 그래프로 둘러싸인 도형의 넓이를 판별하는 능력을 평가한다.</li></ul>
	<ul><li>원에 관한 도형들로 제시된 조건을 이해하고 수리적 분석과정을 통하여 제시된 조건의 넓이를 구하는 문제이다. 이 과정에서 그림에 대한 수리적 조작, 다항식의 연산, 등차수열을 활용하여 그림의 넓이를 구하는 수리적 조작 능력을 평가한다.</li><li>3-(1). 정삼각형과 부채꼴에 관한 도형으로 원의 내부를 분할하여 원의 넓이를 정삼각형의 넓이와 부채꼴에 관한 도형의 넓이의 합으로 나타내는 수리적 추론 능력과 수리적 조작 능력을 평가한다.</li><li>3-(2). 원의 평행이동에 관한 개념을 활용하여 원에 관한 도형으로 제시된 조건을 조작적으로 활용하여 그림의 개형을 이해하고, 수리적 분석과정을 통하여 그림의 넓이를 정삼각형의 넓이와 부채꼴에 관한 도형의 넓이의 합으로 나타내는 수리적 추론능력과 수리적 조작 능력을 평가한다.</li><li>3-(3). 원의 평행이동에 관한 개념을 활용하여 원에 관한 도형으로 제시된 조건을 이해하고, 등차수열을 활용하여 그림의 넓이를 정삼각형의 넓이와 부채꼴에 관한 도형의 넓이의 합으로 나타내는 종합적 수리적 능력을 평가한다.</li></ul>
2023 모의	<ul><li>수열의 귀납적 정의와 제시된 함수들의 상태를 이해하고, 주어진 조건으로부터 수열의 성질을 유추하기 위해 수리적으로 추론하는 문제이다. 이 과정에서 이차함수의 그래프에 대한 접선을 이용하고 직선의 교점을 구할 수 있는 능력을 점검한다. 또한, 수학적 귀납법과 적절한 절대부등식을 활용하여 수열의 성질을 추론하는 능력을 평가한다.</li></ul>
	<ul><li>삼차함수의 성질을 이해하고 문제 풀이를 위한 성질을 유추하기 위해 제시된 함수의 변화와 상태를 이해하고 수학적으로 추론하여 적용하는 문제이다. 이 과정에서 함수의 미분과 적분의 관계를 이해하는지와 극값, 극한값, 정적분 등의 계산 능력을 점검한다. 또한, 이차방정식의 근과 계수와의 관계, 삼차함수의 성질을 이해하고 활용할 수 있는지를 평가한다.</li></ul>

학년도	출제의도
	● 함수의 그래프에 관련된 집합과 원의 방정식으로 제시된 조건을 이해하고 그래프와 원의 교점에 대한 수리적 추론과 조작을 수행하여 함숫값을 구하는 문제이다. 이 과정에서 유도하는 수리적 추론 능력과 이 조건에 근거하여 좌표평면에 관한 기초적인 수리적 사고인 두 점 사이의 거리, 점과 직선 사이의 거리를 바르게 이해하고 효율적으로 활용하는 능력을 평가하고자 한다.
2022 수시	● 함수와 관련하여 귀납적으로 정의된 수열을 이해하고 수리적 추론을 통해 주어진 수열의 성질들을 증명하는 문제이다. 함수의 미분을 통해 함수의 증가 상태 및 함수의 성질을 분석할 수 있고 이를 함수와 관련하여 귀납적으로 정의된 수열에 적용할 수 있는 수리적 조작 능력을 평가한다. 또한 이 과정에서 수학적 귀납법을 활용하여 수열의 성질을 추론하는 능력을 평가한다. ● 1-(1). 삼차방정식의 해를 구하고 삼차함수의 그래프의 활용을 통해 구간에서의 부등식을 유추할 수 있는 수리적 추론능력을 평가한다. ● 1-(2). 귀납적으로 정의된 수열의 성질을 유추하기 위해 관련된 함수의 미분을 통한 증가 상태를 분석할 수 있는 추론능력과 함수의 상태를 수열에 적용하여 수열의 성질을 유추하기 위해 수학적 귀납법을 활용하는 수리적 추론능력을 평가한다. ● 1-(3). 함수와 관련하여 귀납적으로 정의된 수열의 성질을 유추하기 위해 함수의 상태를 활용하고 수열의 성질과 관련된 함수의 상태를 연관하여 이해하는 추론능력을 평가한다. ● 1-(4). 귀납적으로 정의된 수열의 성질을 점검하기 위해 앞선 문항들에서 파악된 수열의 성질들과 관련된 함수의 성질들을 종합적으로 활용하여 수리적 추론능력을 평가한다. ● 좌표평면에서 이차곡선과 직선의 위치 관계 및 이차곡선과 직선이 만나는 교점의 좌표를 구하는 과정에 대한 이해를 점검하고, 이차곡선의 접선 및 점과 직선 사이의 거리 등의 개념을 이용하여 주어진 삼각형의 넓이를 효율적으로 계산하는 능력을 평가한다. 또한 도함수를 활용하여 다항함수의 최댓값을 구하는 과정에 대한 이해와 계산 능력을 평가한다. ● 좌표평면의 함수의 그래프와 원의 관계로 제시된 조건의 수리적 의미를 이해하고 원과 직선의 관계, 두 점 사이의 거리에 대한 이해를 활용하여 조건을 만족하는 함수를 결정하는 수리적 조작을 수행하는 문제이다. ● 3-(1). 두 직선의 수직의 의미에 대한 개념 이해와 직선의 방정식을 구하고 교점을 구하는 계산 능력을 평가한다. ● 3-(2). 원과 직선의 위치 관계에 대한 개념을 바탕으로 조건을 만족하는 원의 성질을 추론하고 이를 근거로 직선의 방정식을 구하여 함수를 구성하는 종합적 수리 능력을 평가한다. ● 3-(3). 직선과 원의 관계에 대한 개념을 바탕으로 조건의 개별적 특성을 추론하고 이를 바탕으로 좌표평면의 두 점 사이의 거리를 구하여 함수를 구성하는 종합적 수리능력을 평가한다.

학년도	출제의도
2022 모의	● 지수함수와 접선의 성질을 이해하고 함수의 미분을 활용하여 주어진 조건에 대한 함수의 상태를 수리적으로 추론하는 문제이다. 또한, 앞서 확인된 결과들을 활용하여 주어진 수열이 제시된 수렴 조건들을 만족함을 유도하는 문제이다. 이 과정에서 지수함수의 미분과 증가, 접선의 식 등 수리적 개념과 성질들을 이해하고 활용하는 능력을 평가하고자 한다.
	● 다항함수의 정적분을 이해하고 정적분의 기본 성질과 여러 가지 적분법을 활용하여 주어진 정적분들간의 관계를 수리적으로 추론하는 문제이다. 이 과정에서 함수의 실수배, 합, 차의 정적분, 다항식의 연산, 다항함수의 부정적분, 부분적분법, 치환적분법 등의 수리적 개념을 이해하고 활용하는 능력을 평가하고자 한다.
	● 집합과 원의 방정식으로 제시된 조건을 이해하고 수리적 추론과 조작을 수행하여 함숫값을 구하는 문제이다. 이 과정에서 직선과 원의 관계에 관한 수리적 개념을 이해하고 수리적 조건을 유도하는 수리적 추론 능력과 이 조건에 근거하여 좌표평면의 두 점 사이의 거리, 점과 직선 사이의 거리를 바르게 이해하고 효율적으로 활용하는 능력을 평가하고자 한다.
2021 수시	● 수열의 귀납적 정의를 이해하고 수열의 성질을 유추하기 위해 관련된 함수들의 상태를 수리적으로 추론하여 적용하는 문제이다. 이 과정에서 이차부등식의 해를 구하고 함수의 성질을 파악할 수 있는 능력을 점검한다. 또한 수학적 귀납법을 활용하여 수열의 성질을 추론하는 능력을 평가한다. ● 1-(1). 이차부등식의 해를 구하고 함수의 몫의 미분을 통해 구간에서의 최댓값을 구할 수 있는 수리적 추론능력을 평가한다. ● 1-(2). 귀납적으로 정의된 수열의 성질을 유추하기 위해 수학적 귀납법을 이용하는 추론 능력을 점검한다. ● 1-(3). 귀납적으로 정의된 수열의 성질을 유추하기 위해 앞선 문항의 결과들을 적용할 수 있는 수리적 계산 능력을 평가한다.
	● 좌표평면 및 좌표공간에서 두 점 사이의 거리를 이용하여 조건을 만족하는 점을 찾고, 정사영의 성질과 공간도형의 성질을 이용하여 문제를 해결하는 수리적 추론 및 계산 능력의 수월성을 평가한다. ● 2-(1). 좌표평면에서 두 점 사이의 거리에 관한 조건을 대수적인 방정식으로 표현하고 풀어서 조건을 만족하는 점을 찾을 수 있는지 평가한다. ● 2-(2). 좌표공간에서 두 점 사이의 거리에 관하여 피타고라스 정리 혹은 대수적 표현을 사용하여 조건을 만족하는 점을 찾을 수 있는지 평가한다. ● 2-(3). 공간도형의 성질 중 정사영의 길이 및 넓이가 이면각의 크기와 가지는 관계를 이해하고 대수적으로 표현하여 주어진 조건을 만족하는 도형을 결정할 수 있는지 평가한다. ● 또한 이 과정에서 삼각함수의 덧셈정리를 이해하고 있는지 점검한다.

학년도	출제의도
	• 일대일대응인 함수의 성질, 연속함수의 성질과 정적분의 의미를 이해하고 이로부터 최대·최소 문제를 해결하는 수리적 조작을 수행하는 문항이다. • 3-(1). 연속함수에 주어진 조건에 따른 그래프를 이용하여 일차함수를 수리적으로 추론하고 정적분을 계산하는 능력을 평가한다. • 3-(2). 그래프를 이용하여 연속함수의 성질을 수리적으로 추론한 후 정적분과 넓이의 관계, 수열의 합을 이용하여 정적분을 효율적으로 계산하고 최대·최소 문제를 해결하는 종합적 수리능력을 평가한다. • 3-(3). 주어진 함수의 조건으로부터 순열에 관한 문제를 유추하고 효과적으로 계산하는 능력을 평가한다.
2021 모의	• 지수함수와 로그함수의 성질을 이해하고 해당 함수들의 미분을 활용하여 주어진 함수의 상태를 수리적으로 추론하는 문제이다. 또한, 앞서 확인된 결과들을 활용하여 주어진 수열이 제시된 수렴 조건들을 만족함을 추론하는 문제이다. 이 과정에서 지수함수와 로그함수의 미분과 증가 등의 성질들을 활용하는 능력과 평균값의 정리 등의 수리적 개념을 이해하고 활용하는 능력을 평가하고자 한다.
	• 함수의 그래프가 원점 대칭인 함수와 y축 대칭인 함수에 대응하는 홀함수와 짝함수의 정의를 이해하고 활용하여 주어진 지수함수를 홀함수와 짝함수의 합으로 나타내는 수리적 추론과 조작을 수행하는 문제이다. 이 과정에서 홀함수와 짝함수의 개념을 이해하고 이들의 성질을 활용하는 수리적 개념의 활용 능력과 여기서 얻어낸 성질을 바탕으로 주어진 지수함수를 홀함수와 짝함수의 합으로 나타내기 위하여 수리적 추론과 수리적 개념을 종합적이고 효과적으로 활용하는 능력을 평가하고자 한다.
	• 좌표평면에서 포물선의 접선을 이해하고, 주어진 기하적 조건을 만족하는 점의 좌표를 삼차 방정식을 통하여 구하며, 좌표평면에서 함수의 그래프들로 둘러싸인 도형의 넓이를 정적분을 이용하여 구하는 문제이다. 이 과정에서 포물선의 접선의 기울기, 수직인 두 직선의 기울기의 관계 등의 수리적 개념 및 좌표평면 상의 두 점을 잇는 직선의 기울기 등에 대한 일반적인 수리적 개념을 효과적으로 활용하여 주어진 기하적 조건을 방정식으로 표현하는 능력을 점검하고자 한다. 그리고 인수분해 및 이차방정식의 판별식을 통해 간단한 삼차 방정식의 해를 구하는 능력, 또한 직선의 방정식, 그래프들 사이의 도형의 넓이와 정적분의 관계, 다항함수의 정적분의 계산법에 대한 수리적 개념을 종합적으로 활용하는 계산 능력을 평가하고자 한다.

3. 기출 연도별 교육과정 내용

교과목	영역	내용	2024 수시	2024 모의	2023 수시	2023 모의	2022 수시	2022 모의	2021 수시	2021 모의
		학년도별 출제 여부 **고등학교 교육과정 내용**			**2015 개정 교육과정**					
수학	다항식	다항식의 연산			○				○	
		나머지정리			○				○	
		인수분해			○				○	
	방정식과 부등식	복소수와 이차방정식			○				○	
		이차방정식과 이차함수								
		여러 가지 방정식								
		여러 가지 부등식					○			
	도형의 방정식	평면좌표	○							
		직선의 방정식	○	○	○	○		○		○
		원의 방정식	○							
		도형의 이동	○				○			
	집합과 명제	집합	○				○	○		
		명제			○	○	○			
	함수	함수	○				○			○
		유리함수와 무리함수								
	경우의 수	경우의 수			○					
수학 I	지수함수와 로그함수	지수								
		로그								
		지수함수와 로그함수	○							
	삼각함수	삼각함수	○				○		○	
		사인법칙과 코사인법칙						○		
	수열	등차수열과 등비수열	○							
		수열의 합			○					○
		수학적 귀납법				○		○	○	○

학년도별 출제 여부 고등학교 교육과정 내용			2015 개정 교육과정							
교과목	영역	내용	2024 수시	2024 모의	2023 수시	2023 모의	2022 수시	2022 모의	2021 수시	2021 모의
수학Ⅱ	함수의 극한과 연속	함수의 극한			○					
		함수의 연속		○	○			○	○	○
	미분	미분계수와 도함수		○	○					
		도함수의 활용	○	○	○	○	○		○	○
	적분	부정적분과 정적분	○		○				○	
		정적분의 활용		○	○	○	○		○	
미적분	수열의 극한	수열의 극한	○				○			
		급수								
	미분법	여러 가지 함수의 미분	○	○		○	○	○	○	
		여러 가지 미분법		○			○	○	○	○
		도함수의 활용	○		○					○
	적분법	여러 가지 적분법	○	○	○	○	○	○	○	
		정적분의 활용					○			

III. 논술이란?

1. 논술이란?

1) 논술이란?

어떤 문제에 대해 자기 나름의 주장이나 견해를 내세운 다음, 여러 가지 근거를 제시하여 그 주장이나 견해가 옳음을 증명하는 글쓰기 활동을 말한다. 따라서 논술의 가장 기본적인 요소는 주장과 근거이다. 다시 말해 어떤 주제에 관해서 자신의 견해를 밝히고 자기 의견을 내세우는 글이 바로 논술이다. 때문에 논술은 특별히 논리적이어야 한다는 요구를 받게 된다. 왜냐하면 여러 가지 의견이 있을 수 있는 문제에 대해 자신의 의견을 세워 다른 사람을 설득하려면, 그 주장이 충분한 근거 위에서 논리적으로 개진될 때만 가능하기 때문이다.

2) 대한민국 논술고사는?

한국에서의 대학 입시 논술고사는 실제 교과 과정과 교과서가 기본이 되어 응용된 사고와 풀이 능력과 지식을 바탕으로 한다. 논술고사는 일반적을 비판적으로 글을 읽는 능력과 창의적으로 문제를 설정하고 해결하는 능력 그리고 논리적으로 서술하는 능력을 종합적으로 평가하는 시험이다. 비판적으로 글을 읽는다는 것은 능동적으로 자신의 관점에서 글을 읽는 것을 말하며, 창의적으로 문제를 설정하고 해결하는 능력이란 심층적이고 다각적으로 논제에 접근함으로써 독창적인 사고와 풀이를 이끌어낼 수 있는 능력을 말한다. 그리고 논리적 서술 능력은 글 구성 능력, 근거 설정 능력, 표현 능력 등을 포괄한다.

3) 자연계 논술? 그리고 그 변화

모든 글은 일반적으로 3가지 종류로 나뉘어진다. 시, 소설 등 문학 작품과 같은 글쓰기인 창작적 글쓰기(creative writing)와 설명문이나 해설문의 글쓰기는 해명적 글쓰기(expository writing), 그리고 논설문의 글쓰기인 비판적 글쓰기(critical writing)가 있다. 이 글쓰기 중 대한민국의 대학입시에서 시행되고 있는 자연계 논술은 창작적 글쓰기는 포함되지 않는다. 새로운 문학 작품을 쓰는게 아니라 제시문을 읽고 내용을 구체화시켜 잘 설명하는 설명문의 형태가 있고, 주어진 문제에 대해 생각하고 깊이있는 주장을 피력하는 비판적 글쓰기도 있다.

2. 논술의 기본 용어

1) 논제 : 논술의 문제를 의미한다.
반드시 해결하고 접근하여야 할 논술 시험의 대상이다.
   (가) 중심 논제 : 채점할 때 가장 배점이 높으며, 핵심적으로 해결해야 할 논술의 문제
   (나) 세부 논제 : 큰 논제 속에 포함된 작은 문제, 각 단계별 채점의 기준이 되며 세부 채점 항목으로 필수 해결 항목이다.
2) 논거 : 논술에서 설명하고 주장하는 논리적인 근거 혹은 이유
3) 주장 : 수험생이 생각하고 채점자에게 알리고 싶은 생각
4) 제시문 : 보기 지문을 말한다.
   (가) 출제자가 논제 해결을 위해 보여주는 다양한 글
   (나) 각종 그래프, 도표, 그림 등
   자료가 정해져 있지는 않다. 하지만 고등학교 교과서를 가장 많이 인용하고, 고등

학교 교과 과정으로 분석하고 판단할 수 있는 내용을 제시한다.

5) 개요 : 논제에 맞게 더 구체적으로는 세부 논제에 맞게 글의 진행 방향을 간략하게 정리하는 과정이다.

3. 논술의 명령어

논술고사 후 대학의 발표 자료를 보면 논술은 출제자의 의도에 부합하게 글을 써야 한다고 강조한다. 그런데 출제자의 의도를 파악하는 것은 자칫 상당히 모호하고 주관적인 것으로 판단하기 쉽다. 하지만 자연계 논술에서는 명령어가 한정되어 있다. 그 명령어들을 잘 익히고 의미를 파악한다면 훨씬 논술의 이해가 높아질 것이다. 또한 대학의 채점 기준에는 명령어의 요구 조건을 충족하는지를 평가한다. 그러므로 자연계 논술의 명령어는 수험생에게는 아주 기초적이지만 필수적이며 절대 잊지 말아야 할 중요한 핵심이다.

1) ~ 에 대해 논술하시오.

; 주장을 밝히고 근거를 제시한다.

2) ~ 에 대해 설명하시오.

: 사실, 주장 등을 쉽게 풀어서 밝힌다.

● ~ 제시문 간의 관련성을 설명하시오.
● ~ 제시문의 논리적 타당성과 문제점을 설명하시오.
● ~ 제시문을 참고하여 주어진 자료의 특징을 설명하시오.
● ~ 제시문의 관점에서 왜 그런 현상이 생기는지 그 이유를 설명하시오.

3) ~ 의 비교하시오. 혹은 대조하시오.

: 공통점과 차이점을 중심으로 설명한다.

● ~ 공통점과 차이점을 설명하시오.

4) ~ 을 분석하시오.

: 주제를 구성요소로 나누고 각 부분의 의미와 상호관계를 밝힌다.

5) ~ 제시문과 주어진 자료를 참고하여 현상을 예측해 보시오.

: 주어진 자료를 해석하고 자료로부터 얻을 수 있는 시간에 따른 변화나 자료의 발생 이유를 살핀다.

6) ~ 제시문의 문제점을 지적하고 그 문제점을 해결할 방법을 제시하시오.

: 보통은 수학이나 과학의 역사에서 발생했던 여러 오류나 실험과정에서 나타난 문제점을 가지고 있다. 또한 이론이나 실험, 학생의 실험보고서 등과 같이 확실한 오류가 있는 제시문을 주기도 한다. 분명히 문제점을 파악하여 답안에 서술하고 문제점이나 해결할 수 있는 방법 등을 명확히 하여야 한다.

● ~ 제시문의 관점에서 왜 그런 현상이 생기는지 그 원리를 설명하고 그런 현상을 예방할 수 있는 방안을 제시하시오.
● ~ 문제점을 지적하고 합리적 대안을 제안해 보시오.
● ~ 주어진 관점을 검증할 수 있는 방법을 논하시오.
● ~ 주어진 문제점을 해결할 수 있는 실험을 설계해 보시오.

7) 제시문의 관점에서 주장을 비판하시오.

: 어떤 주장의 타당성이나 가치 등을 평가한다.

4. 자연계 논술 글쓰기 유의사항

① 논제의 해결이 핵심이다. 출제자가 원하는 답을 써야 한다.

② 논제에 부합하는 글을 일관성 있게 써야 한다.

③ 한편의 글을 완성하여야 한다. 나열하거나 사례를 보여주는 것은 의미가 없다.

④ 제시문을 활용, 인용하는 것과 제시문을 그대로 옮겨 쓰는 것은 다르다. 적절하게 제시문의 내용을 사용하여 논제를 해결하여야 한다. 절대 제시문의 문장을 그대로 쓰면 안 된다. 금기사항이고 감점요인이다.

⑤ 부적절한 문장 즉, 비문을 만들지 말아야 한다. 주어와 서술어가 적절하게 있어 문장의 의미를 명확히 전달하여야 한다. 주어를 생략하거나 지시어를 과도하게 사용하면 문장의 의미가 모호해 진다.

⑥ 문장은 짧고 간결하게 써야 한다. 자신의 의견을 명확히 간결하고 효과적으로 밝혀야 한다.

5. 논술 확인 사항

① 시간의 제한이 시험이다. 논술 시험은 자유롭게 글을 쓴다고 생각하고 주어진 시간을 체크하지 않는 경우가 정말 많다. 대학별로 요구하는 시간에 알맞게 답안을 구성해야 한다.

② 문단의 구성, 맞춤법, 띄어쓰기 등을 무시하면 절대 안 된다. 글쓰기의 기본은 의미의 전달 과정임으로 효율적인 연습과 준비가 되어 있어야 한다.

③ 습관적으로 물어보는 의문문, 같이 할 것을 제안하는 청유형은 사용하지 않는 것이 좋다. 문법의 오류가 아니라 격을 떨어뜨리고 글을 단조롭고 어색한 글 전개가 될 가능성이 높다.

④ 500자 미만이면 서론에 해당하는 도입과정은 과감히 생략하고 바로 논점으로 들어간다.

⑤ 한국어에는 수동태가 없다. 그러나 워낙 영어 번역하며 많이 사용하다 보니 논술 답안에도 수험생들이 자주 사용한다. 문법에 맞는 효과적인 표현이 필요하다. 학생이 수험생이 대학의 논술 고사에 응시하고 답안지에 논술 답안을 쓰는 것이다. 대학의 논술 답안지가 수험생으로부터 답안으로 쓰여지는 것이 아니다.

⑥ 많은 수험생들은 착각을 한다. 논술을 멋진 글쓰기라고 생각해 감상적이거나 비유적인 표현도 많이 사용한다. 그런데 오히려 이러한 표현은 채점자가 수험생의 사고능력 파악이 힘들어지고, 오히려 논제 해결을 했는지 판단하는데 혼동을 준다. 또한 일상에서 사용하는 구어체도 사용하면 안 된다. 논술은 글쓰기에서 쓰는 조금 딱딱한 문어체를 사용하는 것이다.

⑦ 아무리 강조해도 글씨의 중요성은 지나치지 않을 것이다. 채점하는 교수님들의 한결같은 큰 애로점은 이해할 수 없는 학생의 글씨라고 한다. 글씨체를 갑자기 바꿀 수 없지만 타인이 알 수 있게 규칙적으로 줄을 맞춰 쓰고, 분량에 맞는 큰 글씨로, 흘려 쓰지 않는 정자체로 답안을 작성하여야 한다.

Ⅳ. 자연계 논술 실전

1. 각 대학별 논술 유의사항을 파악하라!

많은 대학에서 글자수 제한을 확인하여야 한다. 그래서 원고지 형이 많지만, 문항별 칸을 만들거나 밑줄 답안 형식도 있다. 논술 시험 시간은 각 대학별로 다양하다. 60분 즉, 한 시간을 시작으로 많게는 2시간까지 (120분)까지 다양하게 있다. 대학별로 준비해야 하는 중요한 이유이다. 답안을 작성하는 필기구도 다양하다. 연필(샤프펜)의 사용이 꾸준히 증가하지만 아직까지 검정색 볼펜이나 청색 볼펜으로 사용하는 학교도 많다. 주의할 것은 수정법이다. 수정은 학교에 따라 수정액, 수정테이프의 사용을 제한하는 경우도 있고 틀리면 두줄을 긋고 써야 하는 곳도 있다. 그러므로 각 대학별 특징을 파악하고, 미리 답안 작성 연습은 물론이고 작성할 때도 대학별로 금지하는 내용을 숙지하고 시험장에 가야 한다.

각 대학별 유의사항 사례

사례 1)

가. 답안은 한글로 작성하되, 글자수 제한은 없다.

나. 제목은 쓰지 말고 특별한 표시를 하지 말아야 한다.

다. 제시문 속의 문장을 그대로 쓰지 말아야 한다.

라. 반드시 본 대학교에서 지급한 필기구를 사용하여야 한다.

마. 수정할 부분이 있는 경우 수정도구를 사용하지 말고 원고지 교정법에 의하여 교정하여야 한다.

바. 본 대학교에서 지급한 필기구를 사용하지 않거나, 수정도구를 사용한 경우, 답안지에 특별한 표시를 한 경우, 또는 원고지의 일정분량 이상을 작성하지 않은 경우에는 감점 또는 0점 처리한다.

사례 2)

Ⅰ. 필요한 경우 한 개 또는 여러 개의 제시문을 선택하여 논의를 전개하고, 사용한 제시문은 꼭 참고문헌 형태로 표시하시오.

　　예) …[제시문 1-4].

　　예) …되며[제시문 2-4], …의 경우는 ~을 보여준다[제시문 2-1].

Ⅱ. [문제 1]부터 [문제 4]까지 문제 번호를 쓰고 순서대로 답하시오.

Ⅲ. 연필을 사용하지 말고, 흑색이나 청색 필기구를 사용하시오.

Ⅳ. 인적사항과 관련된 표현을 일절 쓰지 마시오.

Ⅴ. 문제당 배점은 동일함.

사례 3)

◇ 각 문제의 답안은 배부된 OMR 답안지에 표시된 문제지 번호에 맞춰 작성하시오.

◇ 각 문제마다 정해진 글자수(분량)는 띄어쓰기를 포함한 것이며, 정해진 분량에 미달하거나 초과하면 감점 요인이 됩니다.

◇ 답안지의 수험번호는 반드시 컴퓨터용 수성 사인펜으로 표기하시오.

◇ 답안은 검정색 필기구로 작성하시오. (연필 사용 가능)

◇ 답안 수정시 원고지 교정법을 활용하시오. (수정 테이프 또는 연필지우개 사용 가능)

◇ 답안 내용 및 답안지 여백에는 성명, 수험번호 등 개인 신상과 관련된 어떤 내용, 불필요한 기표하면 감점 처리됩니다.

사례 4)

┌───┐
│ ◆ 답안 작성 시 유의사항 ◆   │
│ □ 논술고사 시간은 90분이며, 답안의 자수 제한은 없습니다.   │
│ □ 1번 문항의 답은 답안지 1면에 작성해야 하고, 2번 문항의 답은 답안지 2면에 │
│ 작성해야 합니다. 1, 2번을 바꾸어 작성하는 경우 모두 '0점 처리'됩니다. │
│ □ 연습지는 별도로 제공하지 않습니다. 필요한 경우 문제지의 여백을 이용하시기 │
│ 바랍니다.   │
│ □ 답안은 검정색 또는 파란색 펜으로만 작성하며 연필, 샤프는 사용할 수 없습니다. │
│ □ 답안 수정은 수정할 부분에 두 줄로 긋거나 수정테이프(수정액은 사용 불가)를 │
│ 사용해서 수정합니다.   │
│ □ 답안지에는 답 이외에 아무 표시도 해서는 안 됩니다.   │
│ □ 답안지 교체는 고사 시작 후 70분까지 가능하며, 그 이후는 교체가 불가합니다. │
└───┘

2. 제시문에 먼저 눈을 두지 말고 문제를 파악하라!!!

대학별 고사인 논술의 어려운 점은 시간의 제한이 있는 글쓰기 시험이라는 것이다. 자유롭게 잘 쓸 수 있는 내용일지라도 시간의 제한이 있으면 얘기가 달라진다. 특히 지금과 같이 각 대학별로 다양하게 등장하는 시험에 익숙하지 않은 수험생에게는 더 큰 부담으로 작용을 한다.

대학에서는 다양하게 제시문과 문제를 분포시킨다. 문제를 등장시키고 제시문이 등장하는 경우, 그림과 도표, 그래프 등과 같이 자료를 제시하고 제시문과 문제를 함께 등장시키는 경우, 제시문을 많이 등장시키고 마지막에 문제를 제시하는 경우 등... 이렇듯 다양한 문제에 시간의 적절한 활용은 대학별 고사의 실전에서는 당락을 결정하는 중요 요소이다.

이러한 실전적 논술에서 핵심은 바로 목적을 가지고 제시문의 읽기가 선행되어야 한다. 글 읽기의 핵심은 문제를 통해 논제를 구체적으로 파악하고 그 논제에 부합하게 제시문을 분석하는 것이다.

┌───┐
│ ① 문제를 먼저 확인하라!! - 제시문을 읽고 문제를 보면 다시 긴 제시문을 또 읽어 시간을 낭비한다. │
│ ② 세부 논제 확인하라!! - 한 문제라도 그 문제 속에 다루는 논제는 여러 개가 될 수 있다. 그 질문 내용을 파악하라. 그리고 요구한 논제에 맞게 글을 구성한다. │
│ ③ 전제적 요건 파악하라!! - 각 문제의 전제적 요건 및 글로 표현된 부연 설명 등이 중요한 키워드가 될 수 있다. │
└───┘

V. 이화여자대학교 기출
1. 2024학년도 이화여대 수시 논술 Ⅰ

[문항 1] 실수 a가 $-1 < a < 1$일 때 다음 물음에 답하시오. [40점]

(1) 다음 등식이 성립함을 보이시오.

$$\int_{-\frac{\pi}{2}}^{\frac{\pi}{2}} \ln(a^2+1-2a\sin\theta)d\theta = \int_{-\frac{\pi}{2}}^{\frac{\pi}{2}} \ln(a^2+1+2a\sin\theta)d\theta$$

(2) 치환적분을 적용하여 문항 (1)로부터 다음 등식을 유도하시오.

$$2\int_{-\frac{\pi}{2}}^{\frac{\pi}{2}} \ln(a^2+1+2a\sin\theta)d\theta = \int_{-\frac{\pi}{2}}^{\frac{\pi}{2}} \ln(a^4+1+2a^2\sin\theta)d\theta$$

(3) 문항 (2)로부터 다음 등식이 모든 자연수 n에 대하여 성립함을 수학적 귀납법을 이용하여 보이시오.

$$\int_{-\frac{\pi}{2}}^{\frac{\pi}{2}} \ln(a^2+1+2a\sin\theta)d\theta = \frac{1}{2^n}\int_{-\frac{\pi}{2}}^{\frac{\pi}{2}} \ln\left(a^{2^{n+1}}+1+2a^{2^n}\sin\theta\right)d\theta$$

(4) 다음 부등식이 모든 자연수 n에 대하여 성립함을 보이시오.

$$2\pi\ln\left(1-a^{2^n}\right) \leq \int_{-\frac{\pi}{2}}^{\frac{\pi}{2}} \ln\left(a^{2^{n+1}}+1+2a^{2^n}\sin\theta\right)d\theta \leq 2\pi\ln\left(1+a^{2^n}\right)$$

(5) 수열의 극한의 대소관계를 이용하여 다음 정적분을 계산하시오.

$$\int_{-\frac{\pi}{2}}^{\frac{\pi}{2}} \ln(a^2+1+2a\sin\theta)d\theta$$

[문항 2] 함수 $f(x) = x^2 e^x$에 대하여 다음 물음에 답하시오. [30점]

(1) 함수 $f(x)$의 극댓값 M과 극솟값 m을 구하시오.

(2) $-3 \leq a \leq 2$인 정수 a에 대하여 함숫값 $f(a)$를 크기순으로 나열하시오. (단, $2.7 < e$)

(3) 부등식 $m \leq f(b) \leq M$을 만족시키는 정수 b를 모두 구하시오

(4) 방정식 $f(x) = k$의 실근이 모두 정수인 양의 실수 k의 최솟값을 구하시오.

[문항 3]

좌표평면의 원 $x^2+y^2=16$ 위의 두 점 $A(\sqrt{6}+\sqrt{2},\sqrt{6}-\sqrt{2})$, $B(\sqrt{6}-\sqrt{2},\sqrt{6}+\sqrt{2})$에 대하여 다음 물음에 답하시오. [30점]

(1) 두 점 A, B를 지나는 직선의 방정식을 구하시오.

(2) 호 AB의 길이를 구하시오. (단, 호 AB는 제 1사분면에 있다.)

(3) 문항 (2)의 호 AB와 선분 AB로 둘러싸인 도형의 넓이를 구하시오.

(4) 좌표평면의 집합 $C=\{(\cos\theta-1,\ \sin\theta)|0\leq\theta<2\pi\}$에 속하는 점 $P(\cos\theta-1,\ \sin\theta)$에 대하여 문항 (2)의 호 AB와 두 선분 AP, BP로 둘러싸인 도형의 넓이를 $S(\theta)$라 할 때, $S(\theta)$의 최댓값을 구하시오.

이화여자대학교 EWHA WOMANS UNIVERSITY

논술답안지(자연계)

*감독자 확인란

모집단위

성 명

【유의사항】
1. 답안 작성 시 문제번호와 답안번호가 일치하도록 알맞은 칸에 작성하여야 한다.
2. 답안 작성 시 필요한 경우에 수식 및 그림을 사용할 수 있다.
3. 필기구는 반드시 검은색 필기구만을 사용하여야 한다. (검은색 이외의 필기구로 작성한 답안은 모두 최하점으로 처리함)
4. 문제와 관계없는 불필요한 내용이나, 자신의 신분을 드러내는 내용이 있는 답안 및 낙서 또는 표식이 있는 답안은 모두 최하점으로 처리한다.
5. 답안은 반드시 정해진 답안작성란 안에만 작성하여야 한다. (답안작성란 밖에 작성된 내용은 채점 대상에서 제외함)

【문제 1】 이 답안 영역에는 1번 문항에 대한 답을 작성하시오.

【문제 2】 이 답안 영역에는 2번 문항에 대한 답을 작성하시오.

이 줄 아래에 답안을 작성하거나 낙서할 경우 판독이 불가능하여 채점 불가

30

답안지 바코드

이 줄 위에 답안을 작성하거나 낙서할 경우 판독이 불가능하여 채점 불가

【문제 3】 이 답안 영역에는 3번 문항에 대한 답을 작성하시오.

답안작성란 밖에 작성된 내용은 채점 대상에서 제외

이 줄 아래에 답안을 작성하거나 낙서할 경우 판독이 불가능하여 채점 불가

2. 2024학년도 이화여대 수시 논술 II

[문항 1] 실수 a가 $-1 < a < 1$일 때 다음 물음에 답하시오. [40점]

(1) 다음 등식이 성립함을 보이시오.

$$\int_{-\frac{\pi}{2}}^{\frac{\pi}{2}} \ln(a^2+1-2a\sin\theta)d\theta = \int_{-\frac{\pi}{2}}^{\frac{\pi}{2}} \ln(a^2+1+2a\sin\theta)d\theta$$

(2) 문항 (1)로부터 다음 등식이 모든 자연수 n에 대하여 성립함을 보이시오.

$$2\int_{-\frac{\pi}{2}}^{\frac{\pi}{2}} \ln(a^2+1+2a\sin\theta)d\theta = \frac{1}{2^n} \int_{-\frac{\pi}{2}}^{\frac{\pi}{2}} \ln\left(a^{2^{n+1}}+1+2a^{2^n}\sin\theta\right)d\theta$$

(3) 다음 등식이 모든 자연수 n에 대하여 성립함을 보이시오.

$$2\pi\ln\left(1-a^{2n}\right) \leq \int_{-\frac{\pi}{2}}^{\frac{\pi}{2}} \ln\left(a^{2^{n+1}}+1+2a^{2^n}\sin\theta\right)d\theta \leq 2\pi\ln\left(1-a^{2n}\right)$$

(4) 다음 정적분을 수열의 극한의 대소관계를 이용하여 계산하시오.

$$\int_{-\frac{\pi}{2}}^{\frac{\pi}{2}} \ln(a^2+1+2a\sin\theta)d\theta$$

[문항 2] 함수 $f(x) = x^2 e^x$에 대하여 다음 물음에 답하시오. [30점]

(1) 함수 $f(x)$의 극댓값과 극솟값을 구하시오.

(2) 부등식 $a^2 e^a < 4e^{-2} < (a+1)^2 e^{a+1}$과 $b^2 e^b < e^{-1} < (b+1)^2 e^{b+1}$을 만족하는 정수 a, b를 모두 구하시오. (단, $2.7 < e$)

(3) 방정식 $f(x) = k$의 실근이 모두 정수인 양의 실수 k의 최솟값을 구하시오.

[문항 3]

좌표평면의 원 $x^2 + y^2 = 16$ 위의 두 점 $A(\sqrt{6}+\sqrt{2}, \sqrt{6}-\sqrt{2})$, $B(\sqrt{6}-\sqrt{2}, \sqrt{6}+\sqrt{2})$에 대하여 다음 물음에 답하시오. [30점]

(1) 두 점 A, B를 지나는 직선의 방정식을 구하시오.

(2) 호 AB의 길이를 구하시오. (단, 호 AB는 제 1사분면에 있다.)

(3) 좌표평면의 집합 $C = \{(\cos\theta - 1, \ \sin\theta) | 0 \leq \theta < 2\pi\}$에 속하는 점 $P(\cos\theta - 1, \ \sin\theta)$에 대하여 [문항 3] (2)의 호 AB와 두 선분 AP, BP로 둘러싸인 도형의 넓이를 $S(\theta)$라 할 때, $S(\theta)$의 최댓값을 M, 최솟값을 m이라 할 때 $(M-m)^2$의 값을 구하시오.

			수	험	번	호					
			2	1	8						

생년월일 (예 : 050512)

【유의사항】
1. 답안 작성 시 문제번호와 답안번호가 일치하도록 알맞은 칸에 작성하여야 한다.
2. 답안 작성 시 필요한 경우에 수식 및 그림을 사용할 수 있다.
3. 필기구는 반드시 검은색 필기구만을 사용하여야 한다. (검은색 이외의 필기구로 작성한 답안은 모두 최하점으로 처리함)
4. 문제와 관계없는 불필요한 내용이나, 자신의 신분을 드러내는 내용이 있는 답안 및 낙서 또는 표식이 있는 답안은 모두 최하점으로 처리한다.
5. 답안은 반드시 정해진 답안작성란 안에만 작성하여야 한다. (답안작성란 밖에 작성된 내용은 채점 대상에서 제외함)

【문제 1】 이 답안 영역에는 1번 문항에 대한 답을 작성하시오.

【문제 2】 이 답안 영역에는 2번 문항에 대한 답을 작성하시오.

이 줄 아래에 답안을 작성하거나 낙서할 경우 판독이 불가능하여 채점 불가

【문제 3】 이 답안 영역에는 3번 문항에 대한 답을 작성하시오.

답안작성란 밖에 작성된 내용은 채점 대상에서 제외

3. 2024학년도 이화여대 모의 논술 Ⅰ

[문항 1] 좌표평면에 주어진 이차함수 $y = x^2 + \dfrac{1}{4}$의 그래프 위의 임의의 점 P에 그은 접선이 이차함수 $y = x^2$의 그래프와 만나는 점의 좌표를 각각 $Q(a_1, b_1)$, $R(a_2, b_2)$라 할 때 다음 물음에 답하시오. [35점]

(1) $P\left(0, \dfrac{1}{4}\right)$일 때, 접선과 $y = x^2$으로 둘러싸인 도형의 넓이를 구하시오.

(2) $y = x^2 + \dfrac{1}{4}$ 위의 임의의 점 P에 대하여 $|a_2 - a_1| = 1$임을 보이시오.

(3) $\overline{QR} = 7$일 때, 접선의 기울기를 구하시오.

(4) 자연수 k에 대하여 점 $P\left(k, \ k^2 + \dfrac{1}{4}\right)$에서 $y = x^2 + \dfrac{1}{4}$에 대한 접선과 $y = x^2$으로 둘러싸인 도형의 넓이를 A_k라고 하자. 이때 $\displaystyle\sum_{k=1}^{\infty} \dfrac{A_k^2}{2^k}$의 값을 구하시오.

[문항 2] 무리수 $\sqrt{15}$에 대하여 다음이 성립할 때, 아래 물음에 답하시오. [35점]

> a, b, c, d가 유리수일 때, $a=c$, $b=d$이면 $a+b\sqrt{15}=c+d\sqrt{15}$이다.
> 거꾸로 $a+b\sqrt{15}=c+d\sqrt{15}$이면, $a=c$, $b=d$이다.

(1) 정수 m, n에 대하여 함수 $f(x)=x^4+mx^2+n$라 할 때, $\sqrt{3}+\sqrt{5}$가 $f(x)=0$의 근이 되는 m, n의 값을 구하시오.

(2) 문항 (1)에서 구한 m, n에 대하여 $x^4+mx^2+n=0$의 서로 다른 실근의 개수를 구하시오.

(3) 문항 (1)에서 구한 m, n에 대하여 $x^4+mx^2+n=0$의 실근이 모두 무리수임을 귀류법을 이용하여 보이시오.

(4) 위 문항으로부터 $\sqrt{3}+\sqrt{5}$가 무리수임을 보이시오.

[문항 3] 좌표평면의 원 $x^2 + y^2 = 1$에 대하여 다음 물음에 답하시오. [30점]

(1) 중심이 y축에 있고 원 $x^2 + y^2 = 1$밖에서 한 점에서 만나며 직선 $y = 2x$에 접하는 원의 방정식을 모두 구하시오.

(2) 문항 (1)에서 구한 원은 모두 직선 $y = -2x$에 접함을 보이시오.

(3) 중심이 x축 또는 y축에 있고 원 $x^2 + y^2 = 1$밖에서 한 점에서 만나며 직선 $y = 2x$에 접하는 원의 중심들을 꼭지점으로 하는 다각형의 넓이를 구하시오.

모집단위

성 명

수 험 번 호									

생년월일 (예 : 050512)

【문제 1】 이 답안 영역에는 1번 문항에 대한 답을 작성하시오.

【문제 2】 이 답안 영역에는 2번 문항에 대한 답을 작성하시오.

이 줄 아래에 답안을 작성하거나 낙서할 경우 판독이 불가능하여 채점 불가

40

【문제3】 이 답안 영역에는 3번 문항에 대한 답을 작성하시오.

답안작성란 밖에 작성된 내용은 채점 대상에서 제외

4. 2024학년도 이화여대 모의 논술 II

[문항 1] 좌표평면에 주어진 이차함수 $y = x^2 + \dfrac{1}{4}$의 그래프 위의 임의의 점 P에 그은 접선이 이차함수 $y = x^2$의 그래프와 만나는 점의 좌표를 각각 $Q(a_1,\ b_1)$, $R(a_2,\ b_2)$라 할 때 다음 물음에 답하시오. [35점]

(1) $P\left(0,\ \dfrac{1}{4}\right)$일 때, 접선과 $y = x^2$으로 둘러싸인 도형의 넓이를 구하시오.

(2) $y = x^2 + \dfrac{1}{4}$ 위의 임의의 점 P에 대하여 $|a_2 - a_1| = 1$임을 보이시오.

(3) $\overline{QR} = 7$일 때, 접선의 기울기를 구하시오.

(4) 자연수 k에 대하여 점 $P\left(k,\ k^2 + \dfrac{1}{4}\right)$에서 $y = x^2 + \dfrac{1}{4}$에 대한 접선의 기울기를 m_k라고 하고 접선과 $y = x^2$으로 둘러싸인 도형의 넓이를 A_k라고 하자. 이 때 $\displaystyle\sum_{k=2}^{\infty} \dfrac{1}{\left(m_k^2 - 24A_k\right)}$의 값을 구하시오.

[문항 2] 무리수 $\sqrt{15}$에 대하여 다음이 성립할 때, 아래 물음에 답하시오. [35점]

> a, b, c, d가 유리수일 때 $a=c$, $b=d$이면 $a+b\sqrt{15}=c+d\sqrt{15}$이다.
> 거꾸로 $a+b\sqrt{15}=c+d\sqrt{15}$이면, $a=c$, $b=d$이다.

(1) 정수 m, n에 대하여 함수 $f(x)=x^4+mx^2+n$라 할 때, $\sqrt{3}+\sqrt{5}$가 $f(x)=0$의 근이 되는 m, n의 값을 구하시오.

(2) 문항 (1)에서 구한 m, n에 대하여 $x^4+mx^2+n=0$의 서로 다른 실근의 개수를 구하시오.

(3) 문항 (1)에서 구한 m, n에 대하여 $x^4+mx^2+n=0$의 실근이 모두 무리수임을 귀류법을 이용하여 보이시오.

(4) 위 문항으로부터 $\sqrt{3}+\sqrt{5}$가 무리수임을 보이시오.

[문항 3] 좌표평면의 원 $x^2 + y^2 = 1$에 대하여 다음 물음에 답하시오. [30점]

(1) 중심이 y축에 있고 원 $x^2 + y^2 = 1$과 한 점에서 만나며 직선 $y = 2x$에 접하는 원의 방정식을 모두 구하시오.

(2) 문항 (1)에서 구한 원은 모두 직선 $y = -2x$에 접함을 보이시오.

(3) 중심이 x축 또는 y축에 있고 원 $x^2 + y^2 = 1$과 한 점에서 만나며 직선 $y = 2x$에 접하는 모든 원에 대하여 반지름의 길이의 최댓값과 최솟값의 합을 구하시오.

이화여자대학교
EWHA WOMANS UNIVERSITY

논술답안지(자연계)

※감독자 확인란

모집단위

성 명

수 험 번 호								
		2	1	8				

생년월일 (예 : 050512)

【유의사항】
1. 답안 작성 시 문제번호와 답안번호가 일치하도록 알맞은 칸에 작성하여야 한다.
2. 답안 작성 시 필요한 경우에 수식 및 그림을 사용할 수 있다.
3. 필기구는 반드시 검은색 필기구만을 사용하여야 한다. (검은색 이외의 필기구로 작성한 답안은 모두 최하점으로 처리함)
4. 문제와 관계없는 불필요한 내용이나, 자신의 신분을 드러내는 내용이 있는 답안 및 낙서 또는 표식이 있는 답안은 모두 최하점으로 처리한다.
5. 답안은 반드시 정해진 답안작성란 안에만 작성하여야 한다. (답안작성란 밖에 작성된 내용은 채점 대상에서 제외함)

【문제 1】 이 답안 영역에는 1번 문항에 대한 답을 작성하시오.

【문제 2】 이 답안 영역에는 2번 문항에 대한 답을 작성하시오.

이 줄 아래에 답안을 작성하거나 낙서할 경우 판독이 불가능하여 채점 불가

【문제 3】 이 답안 영역에는 3번 문항에 대한 답을 작성하시오.

답안작성란 밖에 작성된 내용은 채점 대상에서 제외

5. 2023학년도 이화여대 수시 논술

[문항 1] 실수 전체의 집합에서 연속인 함수 $f(x)$가 다음 조건을 만족시킨다.

> (가) $2n \leq x < 2n+2$일 때, $f(x) = 1 - |x - 2n - 1|$이다. (단, $n = 0, 1, 2, 3, \cdots$이다.)
> (나) $x < 0$일 때, $f(x) = 0$이다.

닫힌구간 $[2n, 2n+2]$에서 직선 $y = ax (0 < a < 1)$와 함수 $y = f(x)$의 그래프가 두 점에서 만날 때 직선과 함수의 그래프로 둘러싸인 도형의 넓이를 S_n이라 한다. 아래 물음에 답하시오. [40점]

(1) S_0을 구하시오.

(2) 닫힌구간 $[2n, 2n+2]$에서 직선 $y = ax$와 함수 $y = f(x)$의 그래프가 두 점에서 만나 도록 하는 실수 a의 값의 범위를 구하고 S_n을 구하시오.

(3) 실수 a에 대하여 직선 $y = ax$와 함수 $y = f(x)$의 그래프가 닫힌구간 $[2n, 2n+2]$에서 두 점에서 만나고 닫힌구간 $[2n+2, 2n+4]$에서는 한 점에서 만나거나 만나지 않는 자연수 n의 값의 범위를 a로 나타내고 극한값 $\lim_{a \to 0+} na$를 구하시오.

(4) 문항 (3)에서 구한 자연수 n의 값의 범위에 대하여 극한값 $\lim_{a \to 0+} \dfrac{1}{n}(S_0 + S_1 + \cdots + S_n)$을 구하시오.

[문항 2] 실수 m, b에 대하여 직선 $y = mx + b$가 함수 $y = |x(x-2)|$의 그래프와 서로 다른 세 점에서 만날 때 아래 물음에 답하시오. [30점]

(1) $m = 1$일 때 위 조건을 만족하는 b의 값을 모두 구하시오.

(2) $m \geq 0$, $b > 0$일 때 위 조건을 만족하는 m의 값의 범위를 구하고 b를 m으로 나타내시오.

(3) $m \geq 0$, $b > 0$일 때 직선 $y = mx + b$와 함수 $y = |x(x-2)|$의 그래프의 세 교점을 x좌표의 크기순으로 A, B, C라 하자. 교점 A와 B사이에서 직선과 함수의 그래프로 둘러싸인 부분의 넓이와 교점 B와 C사이에서 직선과 함수의 그래프로 둘러싸인 부분의 넓이가 서로 같아지는 실수 b의 값을 모두 구하시오.

[문항 3] 좌표평면 위에서 원 $x^2+y^2=1$의 내부를 색칠하여 얻게 되는 그림을 P_0이라 하자. P_0에 원 $(x-1)^2+y^2=1$과 원 $(x+1)^2+y^2=1$의 내부를 색칠한 부분을 더하여 얻게 되는 그림을 P_1이라 하고 P_1에 원 $(x-2)^2+y^2=1$과 원 $(x+2)^2+y^2=1$의 내부를 색칠 한 부분을 더하여 얻게 되는 그림을 P_2라 한다. 이 과정을 계속하여 P_n에 원 $(x-n-1)^2+y^2=1$과 원 $(x+n+1)^2+y^2=1$의 내부를 색칠한 부분을 더하여 얻게 되는 그림을 P_{n+1}이라 한다. P_n에 색칠되어 있는 부분의 넓이를 S_n이라 하자. (단, $n=0,\ 1,\ 2,\ 3,\ \cdots$이다.)

한 변의 길이가 1인 정삼각형의 넓이를 α라 하고, 반지름의 길이가 1이고 중심각의 크기가 $\dfrac{\pi}{3}$인 부채꼴에서 호의 양 끝점과 중심을 꼭짓점으로 하는 삼각형을 제외한 도형의 넓이를 β라 할 때 아래 물음에 답하시오. [30점]

(1) S_0을 $a_0\alpha+b_0\beta$로 나타낼 때 자연수 $a_0,\ b_0$을 구하시오.

(2) S_1을 $a_1\alpha+b_1\beta$로 나타낼 때 자연수 $a_1,\ b_1$을 구하시오.

(3) S_{2023}을 $a_{2023}\alpha+b_{2023}\beta$로 나타낼 때 자연수 $a_{2023},\ b_{2023}$을 구하시오.

49

논술답안지(자연계)

※감독자 확인란

모집단위

성   명

수 험 번 호										
			2	1	8					

생년월일 (예 : 050512)

【문제 1】 이 답안 영역에는 1번 문항에 대한 답을 작성하시오.

【문제 2】 이 답안 영역에는 2번 문항에 대한 답을 작성하시오.

이 줄 아래에 답안을 작성하거나 낙서할 경우 판독이 불가능하여 채점 불가

【문제 3】 이 답안 영역에는 3번 문항에 대한 답을 작성하시오.

답안작성란 밖에 작성된 내용은 채점 대상에서 제외

6. 2023학년도 이화여대 모의 논술

[문항 1]

양의 실수 a에 대하여 함수 $f(a)$는 $y=x^2$ 위의 점 (a, a^2)에서 접선과 직선 $y=2$의 교점의 x 좌표로 주어진다. 모든 항이 양수인 두 수열 $\{a_n\}$, $\{b_n\}$이 모든 자연수 n에 대하여

$$a_{n+1}=f(a_n), \quad b_n=\frac{1}{2}\left(a_n+\frac{2}{a_n}\right)$$

을 만족시킬 때, 아래 물음에 답하시오. [35점]

(1) a_1이 양의 실수 일 때, $a_2 \geq \sqrt{2}$이 성립함을 보이시오.

(2) $a_1 \geq \sqrt{2}$일 때, 모든 자연수 n에 대하여 $a_n \geq \sqrt{2}$이 성립함을 수학적 귀납법을 이용하여 보이시오.

(3) $a_1 \geq \sqrt{2}$일 때, 모든 자연수 n에 대하여 $a_{n+1} \leq a_n$이 성립함을 보이시오.

(4) 모든 자연수 n에 대하여 $b_{n+1} \leq b_n$이 성립함을 보이시오.

[문항 2]

삼차함수 $f(x) = tx^3 + 3x^2 + 3x + 2023$가 $x = a$, $b\,(a < b)$에서 극값을 가지도록 하는 양의 실수 t를 생각할 때 점 $\mathrm{A}(a,\ f(a))$, $\mathrm{B}(b,\ f(b))$, $\mathrm{C}(a,\ f(b))$에 관한 함수 $g(t) = \dfrac{\overline{\mathrm{BC}}}{\overline{\mathrm{AB}}}$에 대하여, 다음 물음에 답하시오. [35점]

(1) 식 $\dfrac{\displaystyle\int_a^b f'(x)dx}{t(b-a)^3}$의 값을 구하시오.

(2) $g(t_0) = \dfrac{2\sqrt{5}}{5}$일 때, t_0의 값을 구하시오.

(3) 문항 (2)의 t_0에 대하여, 직선 $x = a$, $y = f(b)$와 $y = f(x)\ (x \geq a)$의 그래프로 둘러싸인 도형의 넓이를 구하시오.

(4) 극한값 $\displaystyle\lim_{t \to 0^+} \dfrac{g(t)}{t}$을 구하시오.

[문항 3]

다음 함수 f에 대하여 아래 물음에 답하시오. [30점]

> 실수 a에 대하여, 좌표평면의 집합 $A = \{(x,\ y)|8y \ge 3(|x| - |x-2| + 4)\}$와 원 $(x-a)^2 + (y-r)^2 = r^2$이 한 점 또는 두 점에서 만나는 반지름 $r(>0)$이 있다. 이때 함숫값 $f(a)$는 r이다.

(1) $a > -1$일 때, 좌표 평면의 점 $\left(a,\ \dfrac{a+1}{3}\right)$에서 직선 $y = \dfrac{3}{4}(x+1)$에 내린 수선의 발을 a로 나타내시오.

(2) 실수 a에 대하여 원 $(x-a)^2 + (y-r)^2 = r^2$이 집합 A와 두 점에서 만나는 반지름 r이 있을 때, 실수 a를 모두 구하시오.

(3) $a > -1$일 때, 함수 $f(a)$를 구하시오.

54

모집단위

성   명

수 험 번 호

| | | | 2 | 1 | 8 | | | | |

생년월일 (예 : 050512)

【문제 1】 이 답안 영역에는 1번 문항에 대한 답을 작성하시오.

【문제 2】 이 답안 영역에는 2번 문항에 대한 답을 작성하시오.

이 줄 아래에 답안을 작성하거나 낙서할 경우 판독이 불가능하여 채점 불가

【문제 3】 이 답안 영역에는 3번 문항에 대한 답을 작성하시오.

답안작성란 밖에 작성된 내용은 채점 대상에서 제외

7. 2022학년도 이화여대 수시 논술

[문항 1] 상수 $p(1 < p < 2)$에 대하여 함수 $f(x) = x^3 - px^2 + px$가 있다. 수열 $\{a_n\}$이 모든 자연수 n에 대하여

$$a_{n+1} = f(a_n)$$

을 만족시킨다. $0 < a_1 < 1$일 때, 아래 물음에 답하시오. [40점]

(1) $0 < x < \beta$에서 부등식 $f(x) > x$가 성립하고, $\beta < x < 1$에서 부등식 $f(x) < x$가 성립하는 β를 구하시오.

(2) 모든 자연수 n에 대하여 부등식 $0 < a_n < 1$이 성립함을 수학적 귀납법을 이용하여 보이시오.

(3) 문항 (1)에서 정해진 β에 대하여 $a_1 \neq \beta$일 때, 모든 자연수 n에 대하여 부등식 $0 < a_n < \beta$가 성립하거나, 모든 자연수 n에 대하여 부등식 $\beta < a_n < 1$이 성립함을 수학적 귀납법을 이용하여 보이시오.

(4) 문항 (1)에서 정해진 β에 대하여 $a_1 \neq \beta$일 때, 모든 자연수 n에 대하여 부등식 $a_{n+1} > a_n$이 성립하거나, 모든 자연수 n에 대하여 부등식 $a_{n+1} < a_n$이 성립함을 보이시오.

[문항 2] 아래 물음에 답하시오. [30점]

(1) 좌표평면에서 타원 $x^2 + 3y^2 = 3$과 직선 $y = x + k$가 서로 다른 두 점에서 만나도록 하는 실수 k의 값의 범위를 구하시오.

(2) 타원 $x^2 + 3y^2 = 3$위의 점 P에서의 접선의 기울기는 1이고, 점 P의 x좌표는 양수이다. 타원 $x^2 + 3y^2 = 3$과 직선 $y = x + k$가 서로 다른 두 점 Q, R에서 만날 때, 삼각형 PQR의 넓이를 $f(k)$라 하자. $f(k)$를 구하시오.

(3) 문항 (1)에 해당하는 실수 k에 대하여 $\{f(k)\}^2$의 최댓값을 구하시오.

[문항 3] 다음과 같이 실수 전체의 집합에서 정의된 함수 $f(s)$에 대하여 아래 물음에 답하시오. [30점]

> 좌표평면에서 실수 s에 대하여 원 $(x-s)^2+(y-r)^2=r^2$과 함수 $y=\dfrac{4}{3}|x|+8$의 그래프가 한 점에서 만날 때 원의 반지름의 길이를 $f(s)$라 하자.

(1) 점 $(4,\ 5)$에서 직선 $y=\dfrac{4}{3}x+8$에 내린 수선의 발을 구하시오.

(2) $s \geq 4$일 때, 함수 $f(s)$를 구하시오.

(3) $-4 < s < 4$일 때, 함수 $f(s)$를 구하시오.

논술답안지(자연계)

※감독자 확인란

모집단위

성   명

수 험 번 호										
			2	1	8					

생년월일 (예 : 050512)

【유의사항】
1. 답안 작성 시 문제번호와 답안번호가 일치하도록 알맞은 칸에 작성하여야 한다.
2. 답안 작성 시 필요한 경우에 수식 및 그림을 사용할 수 있다.
3. 필기구는 반드시 검은색 필기구만을 사용하여야 한다. (검은색 이외의 필기구로 작성한 답안은 모두 최하점으로 처리함)
4. 문제와 관계없는 불필요한 내용이나, 자신의 신분을 드러내는 내용이 있는 답안 및 낙서 또는 표식이 있는 답안은 모두 최하점으로 처리한다.
5. 답안은 반드시 정해진 답안작성란 안에만 작성하여야 한다. (답안작성란 밖에 작성된 내용은 채점 대상에서 제외함)

【문제 1】 이 답안 영역에는 1번 문항에 대한 답을 작성하시오.

【문제 2】 이 답안 영역에는 2번 문항에 대한 답을 작성하시오.

이 줄 아래에 답안을 작성하거나 낙서할 경우 판독이 불가능하여 채점 불가

【문제 3】 이 답안 영역에는 3번 문항에 대한 답을 작성하시오.

답안작성란 밖에 작성된 내용은 채점 대상에서 제외

8. 2022학년도 이화여대 모의 논술

[문항 1]

[35점]

(1) 실수 a에 대하여 부등식 $e^x - e^a \geq e^a(x-a)$가 성립함을 보이시오.

(2) 실수 a에 대하여 곡선 $y = e^x$ 위의 점 $(a,\ e^a)$에서의 접선이 직선 $y = 1$과 만나는 점을 $(b,\ 1)$이라 할 때, $e^b \geq 1$임을 보이시오.

(3) 수열 $\{a_n\}$이 아래 조건 (i), (ii)를 만족하면 수렴한다.

> (i) $a_n \geq 0$(단, $n = 1,\ 2,\ 3,\ \cdots$)
>
> (ii) $a_n \geq a_{n+1}$(단, $n = 1,\ 2,\ 3,\ \cdots$)

수열 $\{x_n\}$이 다음 규칙에 따라 정해질 때, 위의 조건 (i), (ii)를 만족함을 보임으로써 수열 $\{x_n\}$이 수렴함을 보이시오.

> (ㄱ) $x_1 = 2022$
>
> (ㄴ) 곡선 $y = e^x$ 위의 점 $\left(x_n,\ e^{x_n}\right)$에서의 접선이 직선 $y = 1$과 만나는 점의 x좌표가 x_{n+1}이다. (단, $n = 1,\ 2,\ 3,\ \cdots$)

[문항 2]

실수 A, B, C, D가 다음과 같이 주어질 때, 아래 물음에 답하시오. [30점]

$$A=\int_0^1 x^{2021}(1-x)^{2021}dx, \quad B=\int_0^1 x^{2022}(1-x)^{2022}dx$$

$$C=\int_0^1 x^{2022}(1-x)^{2021}dx, \quad D=\int_0^1 x^{2023}(1-x)^{2021}dx$$

(1) $B+D=C$임을 보이시오.

(2) $B=\dfrac{2022}{2023}D$임을 보이시오.

(3) $A-B-C=D$임을 보이고, $B=\dfrac{1011}{4045}A$임을 보이시오.

[문항 3]
다음 함수 f에 대하여 아래 물음에 답하시오. [35점]

> 실수 a에 대하여, 좌표평면의 선분 $\{(t,\ t+2)|-1 \le t \le 1\}$과 원 $(x-a)^2+y^2=r^2$이 한 점에서 만나는 반지름 r의 최솟값 m이 있다. 이때 함숫값 $f(a)$는 m^2이다.

(1) 실수 $a \ne -2$에 대하여 점 $(a,\ 0)$에서 직선 $y=x+2$에 내린 수선의 발을 a로 나타내시오.

(2) $a<0$일 때 함수 $f(a)$를 구하시오.

(3) $a \ge 0$일 때 함수 $f(a)$를 구하시오.

모집단위

성   명

수 험 번 호						
		2	1	8		

생년월일 (예 : 050512)

【유의사항】
1. 답안 작성 시 문제번호와 답안번호가 일치하도록 알맞은 칸에 작성하여야 한다.
2. 답안 작성 시 필요한 경우에 수식 및 그림을 사용할 수 있다.
3. 필기구는 반드시 검은색 필기구만을 사용하여야 한다. (검은색 이외의 필기구로 작성한 답안은 모두 최하점으로 처리함)
4. 문제와 관계없는 불필요한 내용이나, 자신의 신분을 드러내는 내용이 있는 답안 및 낙서 또는 표식이 있는 답안은 모두 최하점으로 처리한다.
5. 답안은 반드시 정해진 답안작성란 안에만 작성하여야 한다. (답안작성란 밖에 작성된 내용은 채점 대상에서 제외함)

【문제 1】 이 답안 영역에는 1번 문항에 대한 답을 작성하시오.

【문제 2】 이 답안 영역에는 2번 문항에 대한 답을 작성하시오.

이 줄 아래에 답안을 작성하거나 낙서할 경우 판독이 불가능하여 채점 불가

【문제 3】 이 답안 영역에는 3번 문항에 대한 답을 작성하시오.

답안작성란 밖에 작성된 내용은 채점 대상에서 제외

9. 2021학년도 이화여대 수시 논술

[문항 1]

모든 항이 양수인 두 수열 $\{a_n\}$, $\{b_n\}$이 $a_1 = 2$, $b_1 = 1$이고, 모든 자연수 n에 대하여

$$(a_{n+1})^2 = a_n + 1, \quad b_{n+1} = 2 - \frac{1}{b_n + 1}$$

을 만족시킨다. 아래 물음에 답하시오. [35점]

(1) 부등식 $x^2 \leq x + 1$의 해가 $\alpha \leq x \leq \beta$일 때 α, β를 구하고, 닫힌구간 $[0, \beta]$에서 함수 $f(x) = x + \dfrac{1}{x+1}$의 최댓값이 2임을 보이시오.

(2) β가 문항 (1)에서 정해질 때, 모든 자연수 n에 대하여 두 부등식 $a_n \geq \beta$와 $b_n \leq \beta$가 각각 성립함을 수학적 귀납법을 이용하여 보이시오.

(3) 모든 자연수 n에 대하여 두 부등식 $a_n \geq a_{n+1}$과 $b_n \leq b_{n+1}$이 각각 성립함을 보이시오

[문항 2]

좌표공간에 세 점 $O(0, 0, 0)$, $A(2, -\sqrt{2}, 0)$, $B(2, \sqrt{2}, 0)$이 있다. [35점]

(1) 세 점 O, A, B로부터 같은 거리에 있는 xy평면 위의 점 C의 좌표를 구하시오.

(2) 세 점 O, A, B로부터 같은 거리에 있는 좌표공간 위의 임의의 점 D에서 xy평면에 내린 수선의 발 H가 문항 (1)에서 구한 점 C와 같음을 보이시오.

(3) 문항 (2)에서 주어진 한 점 D에 대하여, 평면 OAD와 평면 OAB가 이루는 각의 크기를 θ라 하자. $\cos 2\theta = -\dfrac{1}{5}$일 때, 선분 OD의 길이를 구하시오. (단, 점 D의 z좌표는 양수이다.)

[문항 3]

자연수 n ($n \geq 3$)에 대하여 닫힌구간 $[1, n]$에서 정의된 연속함수 $f(x)$가 다음 조건을 만족시킬 때, 아래 물음에 답하시오.

> (가) $f(1)$, $f(2)$, $f(3)$, $\cdots$, $f(n)$은 n이하의 서로 다른 자연수이다.
>
> (나) $1 \leq k \leq n-1$인 자연수 k에 대하여 닫힌구간 $[k, k+1]$에서 함수 $y = f(x)$의 그래프는 각각 두 점 $(k, f(k))$, $(k+1, f(k+1))$을 지나는 직선의 일부이다.

(1) 함수 $f(x)$가 $f(k) = k$ $(k=1, 2, 3, \cdots, n)$일 때 $\displaystyle\int_1^n f(x)dx$의 값을 구하시오.

(2) 조건 (가), (나)를 만족하는 모든 함수 $f(x)$에 대하여 $\displaystyle\int_1^n f(x)dx$의 최솟값을 구하시오.

(3) 문항 (2)의 최솟값을 갖는 함수 $f(x)$의 개수를 구하시오.

이화여자대학교
EWHA WOMANS UNIVERSITY

논술답안지(자연계)

※감독자 확인란

모집단위

성 명

수 험 번 호

| | | | 2 | 1 | 8 | | | | |

생년월일 (예 : 050512)

【문제 1】 이 답안 영역에는 1번 문항에 대한 답을 작성하시오.

【문제 2】 이 답안 영역에는 2번 문항에 대한 답을 작성하시오.

이 줄 아래에 답안을 작성하거나 낙서할 경우 판독이 불가능하여 채점 불가

70

【문제 3】 이 답안 영역에는 3번 문항에 대한 답을 작성하시오.

답안작성란 밖에 작성된 내용은 채점 대상에서 제외

10. 2021학년도 이화여대 모의 논술

[문항 1]

[40점]

(1) 양의 실수 x에 대하여 부등식 $e^x > 1 + x$가 성립함을 보이시오.

(2) 함수 $f(x) = x \ln\left(1 + \dfrac{1}{x}\right)$이 구간 $(0, \infty)$에서 증가함을 평균값의 정리를 이용하여 보이시오.

(3) 수열 $\{a_n\}$이 아래 조건 (i), (ii)를 만족하면 수렴한다.

> (i) $a_n \le a_{n+1}$(단, $n = 1, 2, 3, \cdots$)
>
> (ii) 어떤 양의 실수 M에 대하여 $a_n \le M$(단, $n = 1, 2, 3, \cdots$)

수열 $\{b_n\}$의 일반항이 $b_n = \left(1 + \dfrac{1}{n}\right)^n$ $(n = 1, 2, 3, \cdots)$일 때, 수열 $\{b_n\}$이 위의 조건 (i), (ii)를 만족함을 보임으로써 수렴함을 보이시오.

[문항 2]
함수 $f(x)$가 모든 실수 x에 대하여 $f(-x)=-f(x)$이면 함수 $f(x)$를 홀함수라 하고, $f(-x)=f(x)$이면 짝함수라 한다. 실수에서 정의된 함수에 대하여 다음 물음에 답하시오. [30점]

(1) 함수 $l(x)=e^x+e^{-x}$가 짝함수임을 보이시오.

(2) 홀함수이면서 짝함수인 함수 $h(x)$를 모두 찾으시오.

(3) 홀함수 f_1, f_2와 짝함수 g_1, g_2가 모든 실수 x에 대하여
$$f_1(x)+g_1(x)=f_2(x)+g_2(x)$$
일 때, $f_1(x)=f_2(x)$, $g_1(x)=g_2(x)$임을 보이시오.

(4) 함수 e^x가 홀함수 $a(x)$와 짝함수 $b(x)$에 대하여 $e^x=a(x)+b(x)$일 때, $b(2021)-a(2021)$의 값을 구하시오.

[문항 3]

좌표평면에 포물선 $y = x^2 + 9$와 포물선 $y = x^2$이 주어져 있다. 포물선 $y = x^2$위의 점 A(0, 0)과 B(3, 9)에 대하여, 다음 물음에 답하시오. [30점]

(1) 포물선 $y = x^2 + 9$위의 점 C에서의 접선이 선분 AC와 수직일 때, 점 C의 좌표를 구하시오.

(2) 포물선 $y = x^2 + 9$위의 점 D에서의 접선이 선분 BD와 수직일 때, 점 D의 좌표를 구하시오.

(3) 포물선 $y = x^2 + 9$, 포물선 $y = x^2$과 선분 AC, BD로 둘러싸인 도형의 넓이를 구하시오.

이화여자대학교
EWHA WOMANS UNIVERSITY

논술답안지(자연계)

※감독자 확인란

모집단위

성 명

| 수 험 번 호 | | 2 | 1 | 8 | | | | |

생년월일 (예 : 050512)

【유의사항】
1. 답안 작성 시 문제번호와 답안번호가 일치하도록 알맞은 칸에 작성하여야 한다.
2. 답안 작성 시 필요한 경우에 수식 및 그림을 사용할 수 있다.
3. 필기구는 반드시 검은색 필기구만을 사용하여야 한다. (검은색 이외의 필기구로 작성한 답안은 모두 최하점으로 처리함)
4. 문제와 관계없는 불필요한 내용이나, 자신의 신분을 드러내는 내용이 있는 답안 및 낙서 또는 표식이 있는 답안은 모두 최하점으로 처리한다.
5. 답안은 반드시 정해진 답안작성란 안에만 작성하여야 한다. (답안작성란 밖에 작성된 내용은 채점 대상에서 제외함)

【문제 1】 이 답안 영역에는 1번 문항에 대한 답을 작성하시오.

【문제 2】 이 답안 영역에는 2번 문항에 대한 답을 작성하시오.

이 줄 아래에 답안을 작성하거나 낙서할 경우 판독이 불가능하여 채점 불가

75

【문제 3】 이 답안 영역에는 3번 문항에 대한 답을 작성하시오.

답안작성란 밖에 작성된 내용은 채점 대상에서 제외

VI. 예시 답안
1. 2024학년도 이화여대 수시 논술 Ⅰ

[문항 1] 실수 a가 $-1 < a < 1$일 때 다음 물음에 답하시오. [40점]

(1) 다음 등식이 성립함을 보이시오.

$$\int_{-\frac{\pi}{2}}^{\frac{\pi}{2}} \ln(a^2 + 1 - 2a\sin\theta)d\theta = \int_{-\frac{\pi}{2}}^{\frac{\pi}{2}} \ln(a^2 + 1 + 2a\sin\theta)d\theta$$

(2) 치환적분을 적용하여 문항 (1)로부터 다음 등식을 유도하시오.

$$2\int_{-\frac{\pi}{2}}^{\frac{\pi}{2}} \ln(a^2 + 1 + 2a\sin\theta)d\theta = \int_{-\frac{\pi}{2}}^{\frac{\pi}{2}} \ln(a^4 + 1 + 2a^2\sin\theta)d\theta$$

(3) 문항 (2)로부터 다음 등식이 모든 자연수 n에 대하여 성립함을 수학적 귀납법을 이용하여 보이시오.

$$\int_{-\frac{\pi}{2}}^{\frac{\pi}{2}} \ln(a^2 + 1 + 2a\sin\theta)d\theta = \frac{1}{2^n}\int_{-\frac{\pi}{2}}^{\frac{\pi}{2}} \ln\left(a^{2^{n+1}} + 1 + 2a^{2^n}\sin\theta\right)d\theta$$

(4) 다음 부등식이 모든 자연수 n에 대하여 성립함을 보이시오.

$$2\pi\ln\left(1 - a^{2^n}\right) \leq \int_{-\frac{\pi}{2}}^{\frac{\pi}{2}} \ln\left(a^{2^{n+1}} + 1 + 2a^{2^n}\sin\theta\right)d\theta \leq 2\pi\ln\left(1 + a^{2^n}\right)$$

(5) 수열의 극한의 대소관계를 이용하여 다음 정적분을 계산하시오.

$$\int_{-\frac{\pi}{2}}^{\frac{\pi}{2}} \ln(a^2 + 1 + 2a\sin\theta)d\theta$$

[문항 2] 함수 $f(x) = x^2 e^x$에 대하여 다음 물음에 답하시오. [30점]

(1) 함수 $f(x)$의 극댓값 M과 극솟값 m을 구하시오.

(2) $-3 \leq a \leq 2$인 정수 a에 대하여 함숫값 $f(a)$를 크기순으로 나열하시오. (단, $2.7 < e$)

(3) 부등식 $m \leq f(b) \leq M$을 만족시키는 정수 b를 모두 구하시오

(4) 방정식 $f(x) = k$의 실근이 모두 정수인 양의 실수 k의 최솟값을 구하시오.

[문항 3]

좌표평면의 원 $x^2 + y^2 = 16$ 위의 두 점 $\text{A}(\sqrt{6} + \sqrt{2}, \sqrt{6} - \sqrt{2})$, $\text{B}(\sqrt{6} - \sqrt{2}, \sqrt{6} + \sqrt{2})$에 대하여 다음 물음에 답하시오. [30점]

(1) 두 점 A, B를 지나는 직선의 방정식을 구하시오.

(2) 호 AB의 길이를 구하시오. (단, 호 AB는 제 1사분면에 있다.)

(3) 문항 (2)의 호 AB와 선분 AB로 둘러싸인 도형의 넓이를 구하시오.

(4) 좌표평면의 집합 $C = \{(\cos\theta - 1,\ \sin\theta) | 0 \leq \theta < 2\pi\}$에 속하는 점 $\text{P}(\cos\theta - 1,\ \sin\theta)$에 대하여 문항 (2)의 호 AB와 두 선분 AP, BP로 둘러싸인 도형의 넓이를 $S(\theta)$라 할 때, $S(\theta)$의 최댓값을 구하시오.

[문항 1] (1)

$\theta = -t$로 치환하면 $dt = -d\theta$, $t \in \left[\dfrac{\pi}{2},\ -\dfrac{\pi}{2}\right]$, $\sin\theta = \sin(-t) = -\sin t$가 성립하므로

$$\int_{-\frac{\pi}{2}}^{\frac{\pi}{2}} \ln(a^2 + 1 - 2a\sin\theta)d\theta = \int_{\frac{\pi}{2}}^{-\frac{\pi}{2}} \ln(a^2 + 1 + 2a\sin t)(-1)dt = \int_{-\frac{\pi}{2}}^{\frac{\pi}{2}} \ln(a^2 + 1 + 2a\sin t)dt$$

[문항 1] (2)

[문항 1] (1)에 의하여

$$2\int_{-\frac{\pi}{2}}^{\frac{\pi}{2}} \ln(a^2 + 1 + 2a\sin\theta)d\theta = \int_{-\frac{\pi}{2}}^{\frac{\pi}{2}} \ln(a^2 + 1 + 2a\sin\theta)d\theta + \int_{-\frac{\pi}{2}}^{\frac{\pi}{2}} \ln(a^2 + 1 - 2a\sin\theta)d\theta$$

가 성립한다. 위 등식의 우변을 정리하면 아래의 식을 얻을 수 있다.

$$\int_{-\frac{\pi}{2}}^{\frac{\pi}{2}} \ln(a^2 + 1 + 2a\sin\theta)d\theta + \int_{-\frac{\pi}{2}}^{\frac{\pi}{2}} \ln(a^2 + 1 - 2a\sin\theta)d\theta$$

$$= \int_{-\frac{\pi}{2}}^{\frac{\pi}{2}} \left\{ \ln(a^2 + 1 + 2a\sin\theta) + \ln(a^2 + 1 - 2a\sin\theta) \right\}d\theta$$

$$= \int_{-\frac{\pi}{2}}^{\frac{\pi}{2}} \ln(a^4 + 1 + 2a^2 - 4a^2\sin^2\theta)d\theta$$

$$= \int_{-\frac{\pi}{2}}^{\frac{\pi}{2}} \ln(a^4 + 1 + 2a^2(1 - 2\sin^2\theta))d\theta \quad (1 - 2\sin^2\theta = \cos 2\theta)$$

$$= \int_{-\frac{\pi}{2}}^{\frac{\pi}{2}} \ln(a^4 + 1 + 2a^2\cos 2\theta)d\theta \quad \left(t = 2\theta \Rightarrow d\theta = \frac{1}{2}dt,\ t \in [-\pi,\ \pi] \right)$$

$$= \frac{1}{2}\int_{-\pi}^{\pi} \ln(a^4 + 1 + 2a^2\cos t)dt$$

여기에서 $\displaystyle\int_{-\pi}^{\pi} \ln(a^4 + 1 + 2a^2\cos t)dt$를 아래와 같이 표현할 수 있다.

우선

$$\int_{-\pi}^{\pi} \ln(a^4 + 1 + 2a^2\cos t)dt = \int_{-\pi}^{0} \ln(a^4 + 1 + 2a^2\cos t)dt + \int_{0}^{\pi} \ln(a^4 + 1 + 2a^2\cos t)dt$$

로 분리하여, 우변의 첫 번째 적분에는 $t = x - \dfrac{\pi}{2}$로 치환하여

$dt = dx$, $x \in \left[-\dfrac{\pi}{2},\ \dfrac{\pi}{2}\right]$, $\cos t = \cos\left(x - \dfrac{\pi}{2}\right) = \sin x$를 활용하고,

두 번째 적분에는

$t = y + \dfrac{\pi}{2}$로 치환하여 $dt = dy$, $y \in \left[-\dfrac{\pi}{2},\ \dfrac{\pi}{2}\right]$, $\cos t = \cos\left(y + \dfrac{\pi}{2}\right) = -\sin y$를 활용한다.

이 치환적분의 결과와 [문항 1] (1)에 의하여 아래의 등식이 성립한다.

$$\int_{-\pi}^{\pi} \ln(a^4 + 1 + 2a^2 \cos t)dt = \int_{-\pi}^{0} \ln(a^4 + 1 + 2a^2 \cos t)dt + \int_{0}^{\pi} \ln(a^4 + 1 + 2a^2 \cos t)dt$$

$$= \int_{-\frac{\pi}{2}}^{\frac{\pi}{2}} \ln(a^4 + 1 + 2a^2 \sin x)dx + \int_{-\frac{\pi}{2}}^{\frac{\pi}{2}} \ln(a^4 + 1 - 2a^2 \sin y)dy$$

$$= 2\int_{-\frac{\pi}{2}}^{\frac{\pi}{2}} \ln(a^4 + 1 + 2a^2 \sin\theta)d\theta$$

위의 두 등식을 정리하면 아래가 성립한다.

$$2\int_{-\frac{\pi}{2}}^{\frac{\pi}{2}} \ln(a^2 + 1 + 2a \sin\theta)d\theta = \frac{1}{2}\int_{-\pi}^{\pi} \ln(a^4 + 1 + 2a^2 \cos t)dt = \int_{-\frac{\pi}{2}}^{\frac{\pi}{2}} \ln(a^4 + 1 + 2a^2 \sin\theta)d\theta$$

[문항 1] (3)

수학적 귀납법을 사용하여 증명한다.

$n = 1$일 때 [문항 1] (2)에 의하여 주어진 등식이 성립한다.

$n = k$일 때 $\displaystyle\int_{-\frac{\pi}{2}}^{\frac{\pi}{2}} \ln(a^2 + 1 + 2a \sin\theta)d\theta = \frac{1}{2^k}\int_{-\frac{\pi}{2}}^{\frac{\pi}{2}} \ln(a^{2^{k+1}} + 1 + 2a^{2^k} \sin\theta)d\theta$이 성립한다고 가

정하자.

위의 식에서 $a^{2^k} = \beta$라고 하면 $a^{2^{k+1}} = a^{2^k \cdot 2} = \left(a^{2^k}\right)^2 = \beta^2$이고 $\beta^4 = (\beta^2)^2 = a^{2^{k+2}}$이 성립한다.

이 때 $-1 < a < 1$이므로 $0 \le a^{2^k} = \beta < 1$이고, $0 \le a^{2^{k+1}} = \beta^2 < 1$이다. 그러므로 $n = 1$일 때의 식에서 a에 β를 대입하면,

$$\int_{-\frac{\pi}{2}}^{\frac{\pi}{2}} \ln(\beta^2 + 1 + 2\beta \sin\theta)d\theta = \frac{1}{2}\int_{-\frac{\pi}{2}}^{\frac{\pi}{2}} \ln(\beta^4 + 1 + 2\beta^2 \sin\theta)d\theta$$

이 성립하고

$$\int_{-\frac{\pi}{2}}^{\frac{\pi}{2}} \ln(a^2 + 1 + 2a \sin\theta)d\theta = \frac{1}{2^k}\int_{-\frac{\pi}{2}}^{\frac{\pi}{2}} \ln(a^{2^{k+1}} + 1 + 2a^{2^k} \sin\theta)d\theta$$

$$= \frac{1}{2^k}\int_{-\frac{\pi}{2}}^{\frac{\pi}{2}} \ln(\beta^2 + 1 + 2\beta \sin\theta)d\theta$$

$$= \frac{1}{2^k} \cdot \frac{1}{2}\int_{-\frac{\pi}{2}}^{\frac{\pi}{2}} \ln(\beta^4 + 1 + 2\beta^2 \sin\theta)d\theta$$

$$= \frac{1}{2^{k+1}}\int_{-\frac{\pi}{2}}^{\frac{\pi}{2}} \ln(a^{2^{k+2}} + 1 + 2a^{2^{k+1}} \sin\theta)d\theta$$

이 성립하여 $n = k + 1$일 때 주어진 등식이 성립한다.

따라서 수학적 귀납법에 의하여 주어진 등식은 모든 자연수 n에 대하여 성립한다.

[문항 1] (4)

$-1 < a < 1$이므로 $0 \le a^{2^n} < 1$이고 $\theta \in \left[-\dfrac{\pi}{2}, \dfrac{\pi}{2} \right]$에 대하여 $-1 \le \sin\theta \le 1$이므로 아래의 부등식이 성립한다.

$$\left(1 - a^{2^n} \right)^2 = a^{2^{n+1}} + 1 + 2a^{2^n}(-1) \le a^{2^{n+1}} + 1 + 2a^{2^n}\sin\theta \le a^{2^{n+1}} + 1 + 2a^{2^n} \cdot 1 = \left(1 + a^{2^n} \right)^2$$

위 부등식에 밑이 1보다 큰 로그함수가 증가함수인 것을 적용하면 아래의 부등식이 성립한다.

$$\int_{-\frac{\pi}{2}}^{\frac{\pi}{2}} \ln\left(1 - a^{2^n} \right)^2 d\theta \le \int_{-\frac{\pi}{2}}^{\frac{\pi}{2}} \ln\left(a^{2^{n+1}} + 1 + 2a^{2^n}\sin\theta \right) d\theta \le \int_{-\frac{\pi}{2}}^{\frac{\pi}{2}} \ln\left(1 + a^{2^n} \right)^2 d\theta$$

위 부등식의 왼쪽과 오른쪽 적분에서 $\ln\left(1 \pm a^{2^n} \right)^2 = 2\ln\left(1 \pm a^{2^n} \right)$는 변수 θ에 대하여 상수이므로

$$\int_{-\frac{\pi}{2}}^{\frac{\pi}{2}} \ln\left(1 \pm a^{2^n} \right)^2 d\theta = 2\ln\left(1 \pm a^{2^n} \right) \int_{-\frac{\pi}{2}}^{\frac{\pi}{2}} 1 d\theta = 2\pi \ln\left(1 \pm a^{2^n} \right)$$

가 되어 아래의 부등식이 성립한다.

$$2\pi \ln\left(1 - a^{2^n} \right) \le \int_{-\frac{\pi}{2}}^{\frac{\pi}{2}} \ln\left(a^{2^{n+1}} + 1 + 2a^{2^n}\sin\theta \right) d\theta \le 2\pi \ln\left(1 + a^{2^n} \right)$$

[문항 1] (5)

[문항 1] (3)과 [문항 1] (4)에 의하여 아래의 부등식이 모든 자연수 n에 대하여 성립한다.

$$\frac{2\pi \ln\left(1 - a^{2^n} \right)}{2^n} \le \int_{-\frac{\pi}{2}}^{\frac{\pi}{2}} \ln(a^2 + 1 + 2a\sin\theta) d\theta \le \frac{2\pi \ln\left(1 + a^{2^n} \right)}{2^n}$$

위 부등식에서 $-1 < a < 1$이므로 $\displaystyle\lim_{n \to \infty} a^{2^n} = 0$이고 $\displaystyle\lim_{n \to \infty} \frac{1}{2^n} = 0$이며 로그함수의 연속성에 의하여

$$\lim_{n \to \infty} \ln\left(1 + a^{2^n} \right) = \ln 1 = 0, \quad \lim_{n \to \infty} \ln\left(1 - a^{2^n} \right) = \ln 1 = 0$$

이 성립한다. 그러므로

$$\lim_{n \to \infty} \frac{2\pi \ln\left(1 + a^{2^n} \right)}{2^n} = 0, \quad \lim_{n \to \infty} \frac{2\pi \ln\left(1 - a^{2^n} \right)}{2^n} = 0$$

이 성립하여 사잇값 정리에 의하여

$$\int_{-\frac{\pi}{2}}^{\frac{\pi}{2}} \ln(a^2 + 1 + 2a\sin\theta) d\theta = 0$$

이다.

[문항 2] (1)

$f'(x) = 2xe^x + x^2 e^x$이므로 $f'(x) = 0$이 $x = -2$, $x = 0$을 근으로 갖는다.
구간 $(-\infty, -2)$에서 $f'(x) > 0$이고 $f(x)$가 증가하며 구간 $(-2, 0)$에서 $f'(x) < 0$이고 $f(x)$가 감소한다.

구간 $(0, \infty)$에서 $f'(x) > 0$이므로 $f(x)$가 증가한다.

따라서 함수 $f(x)$는 $x = -2$에서 극댓값 $M = f(-2) = 4e^{-2}$과 $x = 0$에서 극솟값 $m = f(0) = 0$을 갖는다.

[문항 2] (2)

$-3 \le a \le 2$인 정수 a는 $-3, -2, -1, 0, 1, 2$이고

함숫값은 $f(-3) = 9e^{-3}$, $f(-2) = 4e^{-2}$, $f(-1) = e^{-1}$, $f(0) = 0$, $f(1) = e$, $f(2) = 4e^2$이다.

무리수 e가 $2 < e < 3$이므로

$0 < e < 4e^2$이고 $0 < e^{-1} < 4e^{-2} < e$이며, $\dfrac{9}{4} < 2.7 < e$이므로 $e^{-1} < 9e^{-3} < 4e^{-2}$이다.

따라서

$$0 < e^{-1} < 9e^{-3} < 4e^{-2} < e < 4e^2$$

이다.

[문항 2] (3)

$x > 0$일 때 $f(x)$는 증가이고 [문항 2] (2)에 따라 $f(1) = e > 4e^{-2} = M$이므로 부등식 $0 \le f(b) \le 4e^{-2}$을 만족하는 양의 정수 b는 존재하지 않는다.

$x \le 0$일 때 $f(x) \ge 0$이고 함수 $f(x)$가 구간 $(-\infty, -2)$에서 증가이고 구간 $(-2, 0)$에서 감소이다. 따라서 $x \le 0$일 때 함수 $f(x)$가 $x = -2$에서 극대이면서 최대이고 $x = 0$에서 최소이다. 그러므로 $b \le 0$인 모든 정수는 부등식 $0 \le f(b) \le 4e^{-2}$을 만족한다. 따라서 구하는 정수 b는 $b \le 0$인 모든 정수이다.

[문항 2] (4)

$k > 0$에 대하여 방정식 $f(x) = k$는

$0 < k < M = 4e^{-2}$일 때 서로 다른 세 실근을 갖고

$k = 4e^{-2}$일 때 서로 다른 두 실근을 가지며

$k > M = 4e^{-2}$일 때 한 개의 실 근을 갖는다.

(ㄱ) $0 < k < 4e^{-2}$일 때 방정식 $f(x) = k$가 서로 다른 세 정수근을 가지려면 $f(x)$가 감소하는 구간 $-2 < x < 0$에서 $x = -1$이 항상 방정식의 근이 된다. 이때 $f(x) = e^{-1} = f(-1)$의 다른 두 근 중의 하나인 α는 양의 정수이어야 한다. 그런데 [문항 2] (2)에 따라서 $f(0) = 0 < e^{-1} (= f(\alpha)) < e = f(1)$이므로 α는 정수가 아니다. 그러므로 $0 < k < 4e^{-2}$에서 주어진 조건을 만족하는 k는 없다.

(ㄴ) $k = 4e^{-2}$일 때 방정식 $f(x) = 4e^{-2}$가 $x = -2$와 양의 실수 β를 근으로 갖는다. [문항 2] (2)에 따라서 $f(0) = 0 < 4e^{-2} (= f(\beta)) < e = f(1)$이므로 β는 정수가 아니다. 그러므로 $k = 4e^{-2}$는 주어진 조건을 만족하지 않는다.

(ㄷ) $k > 4e^{-2}$일 때 방정식 $f(x) = k$는 한 개의 양의 실근을 갖는다. $x > 0$일 때 $f(1) = e > 4e^{-2}$이고 $f(x)$가 증가하므로 조건을 만족하는 최솟값 k는 $x = 1$일 때 $f(1) = e$이다.

[문항 3] (1)

두 점 A, B를 지나는 직선의 기울기가 $\dfrac{(\sqrt{6}+\sqrt{2})-(\sqrt{6}-\sqrt{2})}{(\sqrt{6}-\sqrt{2})-(\sqrt{6}+\sqrt{2})}=\dfrac{2\sqrt{2}}{-2\sqrt{2}}=-1$ 이므로 구하는

직선의 방정식은

$$y=-1\cdot(x-\sqrt{6}-\sqrt{2})+\sqrt{6}-\sqrt{2}=-x+2\sqrt{6}$$

이다.

[별해]

두 점 A, B가 $y=x$에 대하여 대칭이므로 두 점 A, B를 지나는 직선은 $y=x$에 수직이다. 따라서 구하는 직선의 기울기는 -1이고 직선의 방정식은

$$y=-1\cdot(x-\sqrt{6}-\sqrt{2})+\sqrt{6}-\sqrt{2}=-x+2\sqrt{6}$$

이다.

[문항 3] (2)

두 선분 OA, OB가 x축과 이루는 각을 각각 α, β라고 하면 $\tan\alpha=\dfrac{\sqrt{6}-\sqrt{2}}{\sqrt{6}+\sqrt{2}}=2-\sqrt{3}$ 이고

$\tan\beta=\dfrac{\sqrt{6}+\sqrt{2}}{\sqrt{6}-\sqrt{2}}=2+\sqrt{3}$ 이다. 탄젠트함수의 덧셈정리에 따라

$$\tan(\beta-\alpha)=\dfrac{\tan\beta-\tan\alpha}{1+\tan\beta\cdot\tan\alpha}=\dfrac{2+\sqrt{3}-(2-\sqrt{3})}{1+(2+\sqrt{3})(2-\sqrt{3})}=\sqrt{3}$$

이므로 원점 O에 대하여 두 선분 OA, OB가 이루는 각은 $\beta-\alpha=\dfrac{\pi}{3}$ 이다. 원의 반지름이 4이므로 구하는 호의 길이는 $4\cdot\dfrac{\pi}{3}=\dfrac{4\pi}{3}$ 이다.

[별해]

선분 AB의 길이를 구하면

$$\sqrt{\{(\sqrt{6}-\sqrt{2})-(\sqrt{6}+\sqrt{2})\}^2+\{(\sqrt{6}+\sqrt{2})-(\sqrt{6}-\sqrt{2})\}^2}=4$$

이다. 두 선분 OA, OB의 길이가 주어진 원의 반지름 4이므로 삼각형 AOB는 정삼각형이다. 따라서 원점 O에 대하여 두 선분 OA, OB가 이루는 각은 $\dfrac{\pi}{3}$ 이다. 원의 반지름이 4이므로 구하는 호의 길이는 $4\cdot\dfrac{\pi}{3}=\dfrac{4\pi}{3}$ 이다.

[문항 3] (3)

호 AB와 선분 AB로 둘러싸인 도형의 넓이는 부채꼴 AOB의 넓이에서 삼각형 AOB의 넓이를 뺀 것이다. [문항 3] (2)에서 구한 중심각이 $\dfrac{\pi}{3}$ 이므로 부채꼴의 넓이는 $\dfrac{1}{2}\cdot4^2\cdot\dfrac{\pi}{3}=\dfrac{8\pi}{3}$ 이고

삼각형의 넓이는 $\dfrac{1}{2}\cdot4^2\cdot\sin\dfrac{\pi}{3}=4\sqrt{3}$ 이므로 구하는 넓이는 $\dfrac{8\pi}{3}-4\sqrt{3}$ 이다.

[문항 3] (4)

집합 C의 점은 $(x+1)^2 + y^2 = \cos^2\theta + \sin^2\theta = 1$으로 나타나는 원의 점이다. 이 원의 한점과 [문항 3] (1)에서 구한 직선 사이의 거리가 최대일 때 구하는 도형의 넓이가 최대가 된다.

원 $(x+1)^2 + y^2 = 1$의 중심 $(-1, 0)$과 문항 (1)에서 구한 직선 $x + y - 2\sqrt{6} = 0$과의 거리가

$$\frac{|(-1)+0-2\sqrt{6}|}{\sqrt{1^2+1^2}} = \frac{\sqrt{2}}{2} + 2\sqrt{3}$$

이므로 이 값에 반지름 1을 더하면 최대 거리가 $\frac{\sqrt{2}}{2} + 2\sqrt{3} + 1$이다. 선분 AB의 길이가

$$\sqrt{\left\{(\sqrt{6}-\sqrt{2})-(\sqrt{6}+\sqrt{2})\right\}^2 + \left\{(\sqrt{6}+\sqrt{2})-(\sqrt{6}-\sqrt{2})\right\}^2} = 4$$

이므로 도형의 넓이 $S(\theta)$가 최댓값일 때의 삼각형 PAB의 넓이는

$$\frac{1}{2} \cdot 4 \cdot \left(\frac{\sqrt{2}}{2} + 2\sqrt{3} + 1\right) = \sqrt{2} + 4\sqrt{3} + 2$$

이다.

[문항 3] (3)에서 구한 호 AB와 선분 AB로 둘러싸인 도형의 넓이 $\frac{8\pi}{3} - 4\sqrt{3}$를 더하면 구하는

넓이의 최댓값은 $\left(\frac{8\pi}{3} - 4\sqrt{3}\right) + (\sqrt{2} + 4\sqrt{3} + 2) = \frac{8\pi}{3} + \sqrt{2} + 2$이다.

2. 2024학년도 이화여대 수시 논술 II

[문항 1] 실수 a가 $-1 < a < 1$일 때 다음 물음에 답하시오. [40점]

(1) 다음 등식이 성립함을 보이시오.

$$\int_{-\frac{\pi}{2}}^{\frac{\pi}{2}} \ln(a^2 + 1 - 2a\sin\theta)d\theta = \int_{-\frac{\pi}{2}}^{\frac{\pi}{2}} \ln(a^2 + 1 + 2a\sin\theta)d\theta$$

(2) 문항 (1)로부터 다음 등식이 모든 자연수 n에 대하여 성립함을 보이시오.

$$2\int_{-\frac{\pi}{2}}^{\frac{\pi}{2}} \ln(a^2 + 1 + 2a\sin\theta)d\theta = \frac{1}{2^n}\int_{-\frac{\pi}{2}}^{\frac{\pi}{2}} \ln(a^{2^{n+1}} + 1 + 2a^{2^n}\sin\theta)d\theta$$

(3) 다음 등식이 모든 자연수 n에 대하여 성립함을 보이시오.

$$2\pi\ln(1 - a^{2^n}) \leq \int_{-\frac{\pi}{2}}^{\frac{\pi}{2}} \ln(a^{2^{n+1}} + 1 + 2a^{2^n}\sin\theta)d\theta \leq 2\pi\ln(1 - a^{2^n})$$

(4) 다음 정적분을 수열의 극한의 대소관계를 이용하여 계산하시오.

$$\int_{-\frac{\pi}{2}}^{\frac{\pi}{2}} \ln(a^2 + 1 + 2a\sin\theta)d\theta$$

[문항 2] 함수 $f(x) = x^2 e^x$에 대하여 다음 물음에 답하시오. [30점]

(1) 함수 $f(x)$의 극댓값과 극솟값을 구하시오.

(2) 부등식 $a^2 e^a < 4e^{-2} < (a+1)^2 e^{a+1}$과 $b^2 e^b < e^{-1} < (b+1)^2 e^{b+1}$을 만족하는 정수 a, b를 모두 구하시오. (단, $2.7 < e$)

(3) 방정식 $f(x) = k$의 실근이 모두 정수인 양의 실수 k의 최솟값을 구하시오.

[문항 3]

좌표평면의 원 $x^2 + y^2 = 16$ 위의 두 점 $A(2\sqrt{2}, 2\sqrt{2})$, $B(\sqrt{6} - \sqrt{2}, \sqrt{6} + \sqrt{2})$에 대하여 다음 물음에 답하시오. [30점]

(1) 두 점 A, B를 지나는 직선의 방정식을 구하시오.

(2) 호 AB의 길이를 구하시오. (단, 호 AB는 제 1사분면에 있다.)

(3) 좌표평면의 집합 $C = \{(\cos\theta - 1, \ \sin\theta) | 0 \le \theta < 2\pi\}$에 속하는 점 $P(\cos\theta - 1, \ \sin\theta)$에 대하여 [문항 3] (2)의 호 AB와 두 선분 AP, BP로 둘러싸인 도형의 넓이를 $S(\theta)$라 할 때, $S(\theta)$의 최댓값을 M, 최솟값을 m이라 할 때 $(M - m)^2$의 값을 구하시오.

[문항 1] (1)

$\theta = -t$로 치환하면 $dt = -d\theta$, $t \in \left[\dfrac{\pi}{2}, \ -\dfrac{\pi}{2}\right]$, $\sin\theta = \sin(-t) = -\sin t$가 성립하므로

$$\int_{-\frac{\pi}{2}}^{\frac{\pi}{2}} \ln(a^2 + 1 - 2a\sin\theta)d\theta = \int_{\frac{\pi}{2}}^{-\frac{\pi}{2}} \ln(a^2 + 1 + 2a\sin t)(-1)dt = \int_{-\frac{\pi}{2}}^{\frac{\pi}{2}} \ln(a^2 + 1 + 2a\sin t)dt$$

[문항 1] (2)

수학적 귀납법을 사용하여 증명한다. 먼저 $n = 1$일 때 주어진 등식이 성립하는지 확인한다.
[문항 1] (1)에 의하여

$$2\int_{-\frac{\pi}{2}}^{\frac{\pi}{2}} \ln(a^2 + 1 + 2a\sin\theta)d\theta = \int_{-\frac{\pi}{2}}^{\frac{\pi}{2}} \ln(a^2 + 1 + 2a\sin\theta)d\theta + \int_{-\frac{\pi}{2}}^{\frac{\pi}{2}} \ln(a^2 + 1 - 2a\sin\theta)d\theta$$

가 성립한다. 위 등식의 우변을 정리하면 아래의 식을 얻을 수 있다.

$$\int_{-\frac{\pi}{2}}^{\frac{\pi}{2}} \ln(a^2 + 1 + 2a\sin\theta)d\theta + \int_{-\frac{\pi}{2}}^{\frac{\pi}{2}} \ln(a^2 + 1 - 2a\sin\theta)d\theta$$

$$= \int_{-\frac{\pi}{2}}^{\frac{\pi}{2}} \{\ln(a^2 + 1 + 2a\sin\theta) + \ln(a^2 + 1 - 2a\sin\theta)\}d\theta$$

$$= \int_{-\frac{\pi}{2}}^{\frac{\pi}{2}} \ln(a^4 + 1 + 2a^2 - 4a^2\sin^2\theta)d\theta$$

$$= \int_{-\frac{\pi}{2}}^{\frac{\pi}{2}} \ln(a^4 + 1 + 2a^2(1 - 2\sin^2\theta))d\theta \quad (1 - 2\sin^2\theta = \cos 2\theta)$$

$$= \int_{-\frac{\pi}{2}}^{\frac{\pi}{2}} \ln(a^4 + 1 + 2a^2 \cos 2\theta) d\theta \quad \left(t = 2\theta \Rightarrow d\theta = \frac{1}{2} dt, \ t \in [-\pi, \ \pi] \right)$$

$$= \frac{1}{2} \int_{-\pi}^{\pi} \ln(a^4 + 1 + 2a^2 \cos t) dt$$

여기에서 $\displaystyle\int_{-\pi}^{\pi} \ln(a^4 + 1 + 2a^2 \cos t) dt$ 를 아래와 같이 표현할 수 있다.

우선

$$\int_{-\pi}^{\pi} \ln(a^4 + 1 + 2a^2 \cos t) dt = \int_{-\pi}^{0} \ln(a^4 + 1 + 2a^2 \cos t) dt + \int_{0}^{\pi} \ln(a^4 + 1 + 2a^2 \cos t) dt$$

로 분리하여, 우변의 첫 번째 적분에는 $t = x - \dfrac{\pi}{2}$ 로 치환하여

$dt = dx, \ x \in \left[-\dfrac{\pi}{2}, \ \dfrac{\pi}{2}\right], \ \cos t = \cos\left(x - \dfrac{\pi}{2}\right) = \sin x$ 를 활용하고,

두 번째 적분에는

$t = y + \dfrac{\pi}{2}$ 로 치환하여 $dt = dy, \ y \in \left[-\dfrac{\pi}{2}, \ \dfrac{\pi}{2}\right], \ \cos t = \cos\left(y + \dfrac{\pi}{2}\right) = -\sin y$ 를 활용한다.

이 치환적분의 결과와 [문항 1] (1)에 의하여 아래의 등식이 성립한다.

$$\int_{-\pi}^{\pi} \ln(a^4 + 1 + 2a^2 \cos t) dt = \int_{-\pi}^{0} \ln(a^4 + 1 + 2a^2 \cos t) dt + \int_{0}^{\pi} \ln(a^4 + 1 + 2a^2 \cos t) dt$$

$$= \int_{-\frac{\pi}{2}}^{\frac{\pi}{2}} \ln(a^4 + 1 + 2a^2 \sin x) dx + \int_{-\frac{\pi}{2}}^{\frac{\pi}{2}} \ln(a^4 + 1 - 2a^2 \sin y) dy$$

$$= 2 \int_{-\frac{\pi}{2}}^{\frac{\pi}{2}} \ln(a^4 + 1 + 2a^2 \sin \theta) d\theta$$

위의 두 등식을 정리하면 아래가 성립한다.

$$2 \int_{-\frac{\pi}{2}}^{\frac{\pi}{2}} \ln(a^2 + 1 + 2a \sin \theta) d\theta = \frac{1}{2} \int_{-\pi}^{\pi} \ln(a^4 + 1 + 2a^2 \cos t) dt = \int_{-\frac{\pi}{2}}^{\frac{\pi}{2}} \ln(a^4 + 1 + 2a^2 \sin \theta) d\theta$$

따라서 $n = 1$일 때 주어진 등식이 성립한다.

$n = k$일 때 $\displaystyle\int_{-\frac{\pi}{2}}^{\frac{\pi}{2}} \ln(a^2 + 1 + 2a \sin \theta) d\theta = \dfrac{1}{2^k} \int_{-\frac{\pi}{2}}^{\frac{\pi}{2}} \ln\left(a^{2^{k+1}} + 1 + 2a^{2^k} \sin \theta\right) d\theta$이 성립한다고 가

정하자.

위의 식에서 $a^{2^k} = \beta$라고 하면 $a^{2^{k+1}} = a^{2^k \cdot 2} = \left(a^{2^k}\right)^2 = \beta^2$이고 $\beta^4 = (\beta^2)^2 = a^{2^{k+2}}$이 성립한다.

이 때 $-1 < a < 1$이므로 $0 \le a^{2^k} = \beta < 1$이고, $0 \le a^{2^{k+1}} = \beta^2 < 1$이다. 그러므로 $n = 1$일 때의 식에서 a에 β를 대입하면,

$$\int_{-\frac{\pi}{2}}^{\frac{\pi}{2}} \ln(\beta^2 + 1 + 2\beta \sin \theta) d\theta = \frac{1}{2} \int_{-\frac{\pi}{2}}^{\frac{\pi}{2}} \ln(\beta^4 + 1 + 2\beta^2 \sin \theta) d\theta$$

이 성립하고

$$\int_{-\frac{\pi}{2}}^{\frac{\pi}{2}} \ln(a^2+1+2a\sin\theta)d\theta = \frac{1}{2^k}\int_{-\frac{\pi}{2}}^{\frac{\pi}{2}} \ln(a^{2^{k+1}}+1+2a^{2^k}\sin\theta)d\theta$$

$$= \frac{1}{2^k}\int_{-\frac{\pi}{2}}^{\frac{\pi}{2}} \ln(\beta^2+1+2\beta\sin\theta)d\theta$$

$$= \frac{1}{2^k}\cdot\frac{1}{2}\int_{-\frac{\pi}{2}}^{\frac{\pi}{2}} \ln(\beta^4+1+2\beta^2\sin\theta)d\theta$$

$$= \frac{1}{2^{k+1}}\int_{-\frac{\pi}{2}}^{\frac{\pi}{2}} \ln(a^{2^{k+2}}+1+2a^{2^{k+1}}\sin\theta)d\theta$$

이 성립하여 $n=k+1$일 때 주어진 등식이 성립한다.

따라서 수학적 귀납법에 의하여 주어진 등식은 모든 자연수 n에 대하여 성립한다.

[문항 1] (3)

$-1<a<1$이므로 $0\le a^{2^n}<1$이고 $\theta\in\left[-\frac{\pi}{2},\ \frac{\pi}{2}\right]$에 대하여 $-1\le\sin\theta\le 1$이므로 아래의 부등식이 성립한다.

$$\left(1-a^{2^n}\right)^2 = a^{2^{n+1}}+1+2a^{2^n}(-1)\le a^{2^{n+1}}+1+2a^{2^n}\sin\theta\le a^{2^{n+1}}+1+2a^{2^n}\cdot 1 = \left(1+a^{2^n}\right)^2$$

위 부등식에 밑이 1보다 큰 로그함수가 증가함수인 것을 적용하면 아래의 부등식이 성립한다.

$$\int_{-\frac{\pi}{2}}^{\frac{\pi}{2}} \ln\left(1-a^{2^n}\right)^2 d\theta \le \int_{-\frac{\pi}{2}}^{\frac{\pi}{2}} \ln\left(a^{2^{n+1}}+1+2a^{2^n}\sin\theta\right)d\theta \le \int_{-\frac{\pi}{2}}^{\frac{\pi}{2}} \ln\left(1+a^{2^n}\right)^2 d\theta$$

위 부등식의 왼쪽과 오른쪽 적분에서 $\ln\left(1\pm a^{2^n}\right)^2 = 2\ln\left(1\pm a^{2^n}\right)$는 변수 θ에 대하여 상수이므로

$$\int_{-\frac{\pi}{2}}^{\frac{\pi}{2}} \ln\left(1\pm a^{2^n}\right)^2 d\theta = 2\ln\left(1\pm a^{2^n}\right)\int_{-\frac{\pi}{2}}^{\frac{\pi}{2}} 1 d\theta = 2\pi\ln\left(1\pm a^{2^n}\right)$$

가 되어 아래의 부등식이 성립한다.

$$2\pi\ln\left(1-a^{2^n}\right)\le \int_{-\frac{\pi}{2}}^{\frac{\pi}{2}} \ln\left(a^{2^{n+1}}+1+2a^{2^n}\sin\theta\right)d\theta \le 2\pi\ln\left(1+a^{2^n}\right)$$

[문항 1] (4)

[문항 1] (2)과 [문항 1] (3)에 의하여 아래의 부등식이 모든 자연수 n에 대하여 성립한다.

$$\frac{2\pi\ln\left(1-a^{2^n}\right)}{2^n}\le \int_{-\frac{\pi}{2}}^{\frac{\pi}{2}} \ln(a^2+1+2a\sin\theta)d\theta \le \frac{2\pi\ln\left(1+a^{2^n}\right)}{2^n}$$

위 부등식에서 $-1<a<1$이므로 $\lim_{n\to\infty}a^{2^n}=0$이고 $\lim_{n\to\infty}\frac{1}{2^n}=0$이며 로그함수의 연속성에 의하여

$$\lim_{n\to\infty}\ln\left(1+a^{2^n}\right) = \ln 1 = 0,\ \lim_{n\to\infty}\ln\left(1-a^{2^n}\right) = \ln 1 = 0$$

이 성립한다. 그러므로

$$\lim_{n \to \infty} \frac{2\pi \ln\left(1 + a^{2^n}\right)}{2^n} = 0, \quad \lim_{n \to \infty} \frac{2\pi \ln\left(1 - a^{2^n}\right)}{2^n} = 0$$

이 성립하여 사잇값 정리에 의하여

$$\int_{-\frac{\pi}{2}}^{\frac{\pi}{2}} \ln\left(a^2 + 1 + 2a\sin\theta\right)d\theta = 0$$

이다.

[문항 2] (1)

$f'(x) = 2xe^x + x^2 e^x$이므로 $f'(x) = 0$이 $x = -2$, $x = 0$을 근으로 갖는다.

구간 $(-\infty, -2)$에서 $f'(x) > 0$이고 $f(x)$가 증가하며 구간 $(-2, 0)$에서 $f'(x) < 0$이고 $f(x)$가 감소한다.

구간 $(0, \infty)$에서 $f'(x) > 0$이므로 $f(x)$가 증가한다.

따라서 함수 $f(x)$는 $x = -2$에서 극댓값 $M = f(-2) = 4e^{-2}$과 $x = 0$에서 극솟값 $m = f(0) = 0$을 갖는다.

[문항 2] (2)

모든 실수 x에 대하여 함수 $f(x) \geq 0$이고 $f(x) \geq 0$이고 함수 $f(x)$가 구간 $(-\infty, -2)$와 구간 $(0, \infty)$에서 $f'(x) > 0$이므로 $f(x)$가 구간 $x < -2$ 또는 $x > 0$에서 증가하고, 구간 $(-2, 0)$에서 $f'(x) < 0$이므로 $f(x)$가 구간 $(-2, 0)$에서 감소한다. $f(x)$의 그래프의 개형을 통해 $y = f(x)$는 직선 $y = 4e^{-2}$과 서로 다른 두 점에서 만나고, 직선 $y = e^{-1}$과는 서로 다른 세 점과 만난다.

(ㄱ) 주어진 부등식 $f(a) = a^2 e^a < 4e^{-2} < (a+1)^2 e^{a+1} = f(a+1)$을 만족하는 정수 a는 $a \geq 0$이고 이 구간에서 한 개가 존재한다. 이때 무리수 e는 부등식 $2 < e$을 만족하므로 $f(0) = 0 < 4e^{-2} < e = f(1)$이다. 이로부터 구하는 정수 a는 0이다.

(ㄴ) 부등식 $f(b) < e^{-1} < f(b+1)$을 만족하는 정수 b는 구간 $(-\infty, -2)$와 구간 $(0, \infty)$에 구간별로 한 개씩 존재할 수 있다. 이때 무리수 e는 부등식 $2.7 < e < 3$을 만족하므로 $16 < 2.7^3 < e^3$이 성립한다. 따라서, $f(-4) = 16e^{-4} < e^{-1} < 9e^{-3} = f(-3)$와 $f(0) = 0 < e^{-1} < e = f(1)$가 성립한다. 이로부터 구하는 정수 b는 -4와 0이다.

[문항 2] (3)

$k > 0$에 대하여 방정식 $f(x) = k$는

$0 < k < M = 4e^{-2}$일 때 서로 다른 세 실근을 갖고

$k = 4e^{-2}$일 때 서로 다른 두 실근을 가지며

$k > M = 4e^{-2}$일 때 한 개의 실 근을 갖는다.

(ㄱ) $0 < k < 4e^{-2}$일 때 방정식 $f(x) = k$가 서로 다른 세 정수근을 가지려면 $f(x)$가 감소하는

87

구간 $-2 < x < 0$에서 $x = -1$이 항상 방정식의 근이 된다. 이때 $f(x) = e^{-1} = f(-1)$의 다른 두 근 중의 하나인 α는 양의 정수이어야 한다. 그런데 [문항 2] (2)에 따라서 $f(0) = 0 < e^{-1}(=f(\alpha)) < e = f(1)$이므로 α는 정수가 아니다. 그러므로 $0 < k < 4e^{-2}$에서 주어진 조건을 만족하는 k는 없다.

(ㄴ) $k = 4e^{-2}$일 때 방정식 $f(x) = 4e^{-2}$가 $x = -2$와 양의 실수 β를 근으로 갖는다. [문항 2] (2)에 따라서 $f(0) = 0 < 4e^{-2}(=f(\beta)) < e = f(1)$이므로 β는 정수가 아니다. 그러므로 $k = 4e^{-2}$는 주어진 조건을 만족하지 않는다.

(ㄷ) $k > 4e^{-2}$일 때 방정식 $f(x) = k$는 한 개의 양의 실근을 갖는다. $x > 0$일 때 $f(1) = e > 4e^{-2}$이고 $f(x)$가 증가하므로 조건을 만족하는 최솟값 k는 $x = 1$일 때 $f(1) = e$이다.

[문항 3] (1)

두 점 A, B를 지나는 직선의 기울기가 $\dfrac{2\sqrt{2} - (\sqrt{6} + \sqrt{2})}{2\sqrt{2} - (\sqrt{6} - \sqrt{2})} = -\dfrac{1}{-\sqrt{3}}$이므로 구하는 직선의 방정식은

$$y = -\frac{1}{\sqrt{3}}(x - 2\sqrt{2}) + 2\sqrt{2} = -\frac{1}{\sqrt{3}}x + \frac{2\sqrt{6} + 6\sqrt{2}}{3},$$

즉

$$x + \sqrt{3}\,y - (2\sqrt{2} + 2\sqrt{6}) = 0$$

이다.

[문항 3] (2)

두 선분 OA, OB가 x축과 이루는 각을 각각 α, β라고 하면 $\tan\alpha = \dfrac{2\sqrt{2}}{2\sqrt{2}} = 1$이고 $\tan\beta = \dfrac{\sqrt{6} + \sqrt{2}}{\sqrt{6} - \sqrt{2}} = 2 + \sqrt{3}$이다. 탄젠트함수의 덧셈정리에 따라

$$\tan(\beta - \alpha) = \frac{\tan\beta - \tan\alpha}{1 + \tan\beta \cdot \tan\alpha} = \frac{2 + \sqrt{3} - 1}{1 + (2 + \sqrt{3}) \cdot 1} = \frac{1}{\sqrt{3}}$$

이므로 원점 O에 대하여 두 선분 OA, OB가 이루는 각은 $\beta - \alpha = \dfrac{\pi}{6}$이다. 원의 반지름이 4이므로 구하는 호의 길이는 $4 \cdot \dfrac{\pi}{6} = \dfrac{2\pi}{3}$이다.

[별해]
선분 AB의 길이를 구하면

$$\sqrt{\{2\sqrt{2} - (\sqrt{6} - \sqrt{2})\}^2 + \{2\sqrt{2} - (\sqrt{6} + \sqrt{2})\}^2} = 32 - 16\sqrt{3}$$

이다. 두 선분 OA, OB의 길이가 주어진 원의 반지름이므로 두 선분의 길이는 모두 4이다. 두 선분 OA, OB가 이루는 각은 γ라 할 때 코사인 법칙에 의해

$$\cos\gamma = \frac{4^2 + 4^2 - (32-16\sqrt{3})}{2 \cdot 4 \cdot 4} = \frac{\sqrt{3}}{2}$$

이다. 따라서 원점 O에 대하여 두 선분 OA, OB가 이루는 각이 $\gamma = \frac{\pi}{6}$이다. 원의 반지름이 4

이므로 구하는 호 AB의 길이는 $4 \cdot \frac{\pi}{6} = \frac{2\pi}{3}$이다.

[문항 3] (3)

호 AB와 선분 AP, BP로 둘러싸인 도형의 넓이는 모두 호 AB와 선분 AB로 둘러싸인 도형의 넓이와 선분 AB를 밑변으로 하고 집합 C의 한 점 $P(\cos\theta-1, \sin\theta)$를 꼭짓점으로 하는 삼각형의 넓이의 합과 같다. 따라서 이 삼각형의 넓이가 최대일 때 구하는 넓이 $S(\theta)$가 최대이고 삼각형의 넓이가 C최소일 때 구하는 넓이도 최소이다.

집합 C의 점은 $(x+1)^2 + y^2 = \cos^2\theta + \sin^2\theta = 1$으로 나타나는 원의 점이다. 집합 C가 나타내는 원의 한 점과 [문항 3] (1)에서 구한 직선과의 거리가 최대인 h_1일 때 넓이 $S(\theta)$가 최대가 되고 거리가 최소인 h_2일 때 넓이가 $S(\theta)$가 최소가 된다. 따라서 $S(\theta)$의 최댓값 M과 최솟값 m의 차 $M-m$은 선분 AB를 공통인 밑변으로 하고 높이가 h_1인 삼각형의 넓이와 높이가 h_2인 삼각형의 넓이의 차이이므로

$$M-m = \frac{1}{2}\overline{\mathrm{AB}} \cdot h_1 - \frac{1}{2}\overline{\mathrm{AB}} \cdot h_2 = \frac{1}{2}\overline{\mathrm{AB}} \cdot (h_1 - h_2)$$

이다. 직선 $x + \sqrt{3}y - (2\sqrt{2}+2\sqrt{6}) = 0$에서 원 $(x+1)^2 + y^2 = 1$와의 거리가 최대 또는 최소가 되는 원 $(x+1)^2 + y^2 = 1$ 위의 점은 이 원과 기울기가 $-\frac{1}{\sqrt{3}}$인 접선이 만나는 두 점이다. 이 두 접선이 직선 $x + \sqrt{3}y - (2\sqrt{2}+2\sqrt{6}) = 0$에 평행하고 원 $(x+1)^2 + y^2 = 1$의 반지름이 1이므로 $h_1 = h_2 + 2 \cdot 1 = h_2 + 2$이다. 따라서 $h_1 - h_2 = 2$이다. 선분 AB의 길이의 제곱이

$$\sqrt{\{2\sqrt{2}-(\sqrt{6}-\sqrt{2})\}^2 + \{2\sqrt{2}-(\sqrt{6}+\sqrt{2})\}^2} = 32 - 16\sqrt{3}$$

이므로 구한 값은

$$(M-m)^2 = \left\{\frac{1}{2} \cdot \overline{\mathrm{AB}} \cdot (h_1 - h_2)^2\right\} = \left\{\frac{1}{2} \cdot \overline{\mathrm{AB}} \cdot 2\right\}^2 = \overline{\mathrm{AB}}^2 = 32 - 16\sqrt{3}$$

이다.

3. 2024학년도 이화여대 모의 논술 Ⅰ

[문항 1] 좌표평면에 주어진 이차함수 $y = x^2 + \frac{1}{4}$의 그래프 위의 임의의 점 P에 그은 접선이 이차함수 $y = x^2$의 그래프와 만나는 점의 좌표를 각각 $Q(a_1, b_1)$, $R(a_2, b_2)$라 할 때 다음 물음에 답하시오. [35점]

(1) $P\left(0, \frac{1}{4}\right)$일 때, 접선과 $y = x^2$으로 둘러싸인 도형의 넓이를 구하시오.

(2) $y = x^2 + \dfrac{1}{4}$ 위의 임의의 점 P에 대하여 $|a_2 - a_1| = 1$임을 보이시오.

(3) $\overline{\mathrm{QR}} = 7$일 때, 접선의 기울기를 구하시오.

(4) 자연수 k에 대하여 점 $\mathrm{P}\left(k,\ k^2 + \dfrac{1}{4}\right)$에서 $y = x^2 + \dfrac{1}{4}$에 대한 접선과 $y = x^2$으로 둘러싸인

도형의 넓이를 A_k라고 하자. 이때 $\displaystyle\sum_{k=1}^{\infty} \dfrac{A_k^2}{2^k}$의 값을 구하시오.

[문항 2] 무리수 $\sqrt{15}$에 대하여 다음이 성립할 때, 아래 물음에 답하시오. [35점]

> a, b, c, d가 유리수일 때, $a = c$, $b = d$이면 $a + b\sqrt{15} = c + d\sqrt{15}$이다.
> 거꾸로 $a + b\sqrt{15} = c + d\sqrt{15}$이면, $a = c$, $b = d$이다.

(1) 정수 m, n에 대하여 함수 $f(x) = x^4 + mx^2 + n$라 할 때, $\sqrt{3} + \sqrt{5}$가 $f(x) = 0$의 근이 되는 m, n의 값을 구하시오.

(2) 문항 (1)에서 구한 m, n에 대하여 $x^4 + mx^2 + n = 0$의 서로 다른 실근의 개수를 구하시오.

(3) 문항 (1)에서 구한 m, n에 대하여 $x^4 + mx^2 + n = 0$의 실근이 모두 무리수임을 귀류법을 이용하여 보이시오.

(4) 위 문항으로부터 $\sqrt{3} + \sqrt{5}$가 무리수임을 보이시오.

[문항 3] 좌표평면의 원 $x^2 + y^2 = 1$에 대하여 다음 물음에 답하시오. [30점]

(1) 중심이 y축에 있고 원 $x^2 + y^2 = 1$밖에서 한 점에서 만나며 직선 $y = 2x$에 접하는 원의 방정식을 모두 구하시오.

(2) 문항 (1)에서 구한 원은 모두 직선 $y = -2x$에 접함을 보이시오.

(3) 중심이 x축 또는 y축에 있고 원 $x^2 + y^2 = 1$밖에서 한 점에서 만나며 직선 $y = 2x$에 접하는 원의 중심들을 꼭지점으로 하는 다각형의 넓이를 구하시오.

[문항 1] (1)

점 $\mathrm{P}\left(0,\ \dfrac{1}{4}\right)$를 지나며 기울기가 m인 직선은 $y = mx + \dfrac{1}{4}$이다. 이 직선이 $y = x^2 + \dfrac{1}{4}$의 접선일 때는 $x^2 + \dfrac{1}{4} = mx + \dfrac{1}{4}$가 중근을 가질 때이므로 판별식 $D = m^2 = 0$에 따라 $m = 0$이다. 따라서 접선은 $y = \dfrac{1}{4}$이고 구하는 도형의 넓이는 $\displaystyle\int_{-\frac{1}{2}}^{\frac{1}{2}} \left(\dfrac{1}{4} - x^2\right) dx = \dfrac{1}{6}$이다.

※별해

$y = x^2 + \dfrac{1}{4}$의 도함수 $y' = 2x$이므로 점 $\mathrm{P}\left(0,\ \dfrac{1}{4}\right)$에서 접선의 방정식은 $y = 0 \cdot (x - 0) + \dfrac{1}{4} = \dfrac{1}{4}$이다. 따라서 접선은 $y = \dfrac{1}{4}$이고 구하는 도형의 넓이는 $\displaystyle\int_{-\frac{1}{2}}^{\frac{1}{2}} \left(\dfrac{1}{4} - x^2\right) dx = \dfrac{1}{6}$이다.

[문항 1] (2)

임의의 점 $P\left(t,\ t^2+\dfrac{1}{4}\right)$를 지나며 기울기가 m인 직선은 $y=m(x-t)+t^2+\dfrac{1}{4}$이다. 이 직선이 $y=x^2+\dfrac{1}{4}$의 접선일 때는 $x^2+\dfrac{1}{4}=m(x-t)+t^2+\dfrac{1}{4}$, 즉 $x^2-mx+mt-t^2=0$이 중근을 가질 때이므로 $D=(m-2t)^2=0$이므로 $m=2t$이다. 따라서 접선은 $y=2t(x-t)+t^2+\dfrac{1}{4}$이다. 접선과 $y=x^2$가 만나는 점의 x좌표 a_1, a_2가 $x^2-2tx+t^2-\dfrac{1}{4}=0$의 근이다. 따라서 이 차방정식의 근과 계수의 관계로부터 $(a_2-a_1)^2=(a_2+a_1)^2-4a_2a_1=(2t)^2-4\left(t^2-\dfrac{1}{4}\right)=1$이고 $|a_2-a_1|=1$이다.

※별해

접선의 방정식이 $y-a_2^2=\dfrac{a_2^2-a_1^2}{a_2-a_1}(x-a_2)=(a_2+a_1)(x-a_2)$이므로 $y=(a_1+a_2)x-a_1a_2$이다.

따라서 $x^2+\dfrac{1}{4}=(a_1+a_2)x-a_1a_2$, 즉 $x^2-(a_1+a_2)x-\left(a_1a_2+\dfrac{1}{4}\right)=0$이 중근을 가지므로 판별식 조건으로부터

$$D=(a_1+a_2)^2-4\left(a_1a_2+\dfrac{1}{4}\right)=0\Rightarrow(a_2-a_1)^2=1$$

이므로 $|a_2-a_1|=1$이다.

[문항 1] (3)

$\overline{QR}=7$이므로 $(a_2-a_1)^2+(b_2-b_1)^2=49=\overline{QR}^2$이다.

따라서 문항 (2)로부터 $|a_2-a_1|=1$이므로 $|b_2-b_1|=\sqrt{48}$이다. 따라서 기울기는 $\dfrac{b_2-b_1}{a_2-a_1}$이므로 구하는 직선의 기울기는 $4\sqrt{3}$ 또는 $-4\sqrt{3}$이다.

[문항 1] (4)

점 $P\left(k,\ k^2+\dfrac{1}{4}\right)$에서 $y=x^2+\dfrac{1}{4}$에 대한 접선은 기울기가 $2k$인 직선이므로 접선의 방정식은

$$y=2k(x-k)+k^2+\dfrac{1}{4}$$

이다. 이 직선과 $y=x^2$의 교점을 구하면, $x^2=2k(x-k)+k^2+\dfrac{1}{4}$의 해가 $x=k\pm\dfrac{1}{2}$이므로

$$\left(k-\dfrac{1}{2},\ \left(k-\dfrac{1}{2}\right)^2\right),\ \left(k+\dfrac{1}{2},\ \left(k+\dfrac{1}{2}\right)^2\right)$$

이다.

따라서 접선과 $y = x^2$로 둘러싸인 도형의 넓이는

$$\int_{k-\frac{1}{2}}^{k+\frac{1}{2}} \left\{ \left(2k(x-k) + k^2 + \frac{1}{4} \right) - x^2 \right\} dx$$

이다.

$$\int_{k-\frac{1}{2}}^{k+\frac{1}{2}} \left\{ 2kx - k^2 + \frac{1}{4} - x^2 \right\} dx$$

$$= k \left\{ \left(k + \frac{1}{2} \right)^2 - \left(k - \frac{1}{2} \right)^2 \right\} + \left(-k^2 + \frac{1}{4} \right) \left\{ \left(k + \frac{1}{2} \right) - \left(k - \frac{1}{2} \right) \right\} - \frac{1}{3} \left\{ \left(k + \frac{1}{2} \right)^3 - \left(k - \frac{1}{2} \right)^3 \right\}$$

$$= \frac{1}{6}$$

이므로 k에 관계없이 일정하다. 따라서 $A_k = \dfrac{1}{6}$이므로 $\displaystyle\sum_{k=1}^{\infty} \dfrac{A_k^2}{2^k} = \dfrac{1}{36} \sum_{k=1}^{\infty} \dfrac{1}{2^k}$이다. 이때 $\displaystyle\sum_{k=1}^{\infty} \dfrac{1}{2^k}$

는 첫째항이 $\dfrac{1}{2}$이고 공비가 $\dfrac{1}{2}$인 등비급수이므로

$$\sum_{k=1}^{\infty} \frac{A_k^2}{2^k} = \frac{1}{36} \sum_{k=1}^{\infty} \frac{1}{2^k} = \frac{1}{36} \left(\frac{\dfrac{1}{2}}{1 - \dfrac{1}{2}} \right) = \frac{1}{36}$$

이다.

[문항 2] (1)

$f(\sqrt{3}+\sqrt{5}) = (\sqrt{3}+\sqrt{5})^4 + m(\sqrt{3}+\sqrt{5})^2 + n = (8m+n+124) + (2m+32)\sqrt{15} = 0$이므로 지문에 주어진 사실로부터 m, n에 관한 두 방정식 $8m+n+124 = 0$과 $2m+32 = 0$을 얻게 된다. 이 연립방정식을 풀면 $m = -16$이고 $n = 4$이다.

[문항 2] (2)

방정식 $f(x) = x^4 - 16x^2 + 4 = 0$의 서로 다른 실근의 개수는 함수 $y = f(x)$의 그래프와 x축의 교점의 개수와 같다. 여기서 도함수 $y = f'(x)$를 통해 함수 $y = f(x)$의 그래프의 개형을 알아본다. 이때 $f'(x) = 4x^3 - 32x = 4x(x - 2\sqrt{2})(x + 2\sqrt{2})$이므로 $f'(x) = 0$을 만족시키는 x의 값은 $x = -2\sqrt{2}$, $x = 0$ 또는 $x = 2\sqrt{2}$이다. $f'(x)$의 부호를 조사하여 $f(x)$의 증가와 감소를 표로 나타내면 다음과 같다.

x	$\cdots$	$-2\sqrt{2}$	$\cdots$	0	$\cdots$	$2\sqrt{2}$	$\cdots$
$f'(x)$	$-$	0	$+$	0	$-$	0	$+$
$f(x)$	$\searrow$	-60	$\nearrow$	4	$\searrow$	-60	$\nearrow$

따라서 실근이 4개의 구간 $(-\infty, -2\sqrt{2})$, $(-2\sqrt{2}, 0)$, $(0, 2\sqrt{2})$, $(2\sqrt{2}, \infty)$에서 하나씩 존재한다. 즉, 함수 $y = f(x)$의 그래프는 x축과 서로 다른 네 점에서 만나므로 방정식 $f(x) = 0$의 서로 다른 실근의 개수는 4이다.

[문항 2] (3)

문항 (2)로부터 $x^4 - 16x^2 + 4 = 0$의 근이 모두 실수이므로 근이 모두 무리수라는 결론을 부정하여 $x^4 - 16x^2 + 4 = 0$는 적어도 하나의 유리수인 근 α을 가진다고 가정한다. α와 $-\alpha$가 모두 $x^4 - 16x^2 + 4 = 0$의 근이 되므로 $\alpha = \dfrac{p}{q}(p, q$은 서로소인 자연수)로 나타낼 수 있다.

$x^4 - 16x^2 + 4 = 0$에 근 $\dfrac{p}{q}$을 대입한 후 양변을 q^4로 곱하여 정리하면

$$p^4 = 16p^2q^2 - 4q^4 = 4q^2(4p^2 - q^2)$$

이다. 여기서 $4q^2(4p^2 - q^2)$이 짝수이므로 p^4이 짝수이고 p도 짝수이다. 따라서 $p = 2k(k$는 자연수)로 나타내면 $(2k)^4 = 4q^2(16k^2 - q^2)$이고

$$4k^4 = q^2(16k^2 - q^2)$$

이다. 만약 q가 홀수이면 q^2와 $16k^2 - q^2$이 모두 홀수가 되므로, 두 홀수의 곱 $q^2(16k^2 - q^2)$은 다시 홀수가 되지만 $4k^4$가 짝수이므로 모순이다. 결국 q는 짝수이다. 그러면 p, q가 모두 짝수이므로 서로소인 자연수라는 가정의 모순이다. 귀류법에 따라서 $x^4 - 16x^2 + 4 = 0$는 모두 무리수인 근을 가진다.

※별해

방정식 $x^4 - 16x^2 + 4 = 0$는 적어도 하나의 유리수인 근 α을 가진다고 가정한다. 이때 α^2은 유리수이고 방정식 $t^2 - 16t + 4 = 0$의 근이 된다. 이 이차방정식의 근이 $8 \pm 2\sqrt{15}$이므로 α^2은 $8 \pm 2\sqrt{15}$ 중 하나가 된다. $8 \pm 2\sqrt{15}$가 무리수이므로 α^2이 유리수인 가정에 모순이다. 귀류법에 따라서 $x^4 - 16x^2 + 4 = 0$는 모두 무리수인 근을 가진다.

[문항 2] (4)

문항 (1)에 의하여 $x^4 - 16x^2 + 4 = 0$은 $\sqrt{3} + \sqrt{5}$을 근으로 가진다. 문항 (2)에 따라서 $x^4 - 16x^2 + 4 = 0$은 서로 다른 4개의 실근을 가지므로 $\sqrt{3} + \sqrt{5}$는 실수임을 알 수 있다. 문항 (3)의 결과로부터 $x^4 - 16x^2 + 4 = 0$은 항상 무리수인 근을 가진다. 따라서 $\sqrt{3} + \sqrt{5}$는 $x^4 - 16x^2 + 4 = 0$의 실근이므로 무리수이다.

[문항 3] (1)

구하는 원의 중심을 $(0, a)$라고 둔다. 조건에서 이 점은 원 $x^2 + y^2 = 1$밖에 있으므로 $|a| > 1$이고 구하는 원의 반지름의 길이는 $|a| - 1$이다. 직선 $y - 2x = 0$과 점 $(0, a)$의 거리도 원의 반지름의 길이와 같으므로

$$\frac{|a - 2 \cdot 0|}{\sqrt{1^2 + (-2)^2}} = |a| - 1$$

이다. 이 식을 계산하면 $|a| = \dfrac{5 + \sqrt{5}}{4}$이다. 따라서 구하는 원의 방정식은 모두

$$x^2 + \left(y - \frac{5+\sqrt{5}}{4}\right)^2 = \left(\frac{1+\sqrt{5}}{4}\right)^2, \quad x^2 + \left(y + \frac{5+\sqrt{5}}{4}\right)^2 = \left(\frac{1+\sqrt{5}}{4}\right)^2$$

이다.

[문항 3] (2)

문항 (1)에서 구한 원의 중심과 직선 $y + 2x = 0$의 거리가 원의 반지름의 길이와 같으면 원 이 직선 $y + 2x = 0$에 접한다.

원 $x^2 + \left(y - \frac{5+\sqrt{5}}{4}\right)^2 = \left(\frac{1+\sqrt{5}}{4}\right)^2$의 중심 $\left(0, \frac{5+\sqrt{5}}{4}\right)$와 직선 $y + 2x = 0$의 거리는

$\dfrac{\left|\frac{5+\sqrt{5}}{4} + 2 \cdot 0\right|}{\sqrt{1^2 + 2^2}} = \dfrac{\sqrt{5}+1}{4}$이다. 이 거리는 반지름의 길이 $\dfrac{1+\sqrt{5}}{4}$와 같으므로 원과 직선이 접

한다. 마찬가지로 원 $x^2 + \left(y + \frac{5+\sqrt{5}}{4}\right)^2 = \left(\frac{1+\sqrt{5}}{4}\right)^2$의 중심 $\left(0, -\frac{5+\sqrt{5}}{4}\right)$와 직선

$y + 2x = 0$의 거리는 $\dfrac{\left|-\frac{5+\sqrt{5}}{4} + 2 \cdot 0\right|}{\sqrt{1^2 + 2^2}} = \dfrac{\sqrt{5}+1}{4}$이다. 이 거리 또한 반지름의 길이 $\dfrac{1+\sqrt{5}}{4}$

와 같으므로 원과 직선이 접한다.

※ 별해

문항 (1)에서 구한 원은 모두 중심이 y축에 있으므로 y축에 대하여 대칭이다. 직선 $y = 2x$를 y축에 대하여 대칭이동하면 직선 $y = -2x$이다. 문항 (1)에서 구한 원이 각각 직선 $y = 2x$와 한 점에서 만나므로 y축에 대하여 대칭이동한 직선 $y = -2x$와 각각 한 점에서 만난다. 따라서 문항 (1)에서 구한 원은 모두 직선 $y = -2x$에 접한다.

[문항 3] (3)

원의 중심이 y축에 있는 경우는 문항 (1)에서 모두 구하여 $\left(0, \frac{5+\sqrt{5}}{4}\right)$, $\left(0, \frac{-5-\sqrt{5}}{4}\right)$이다.

중심이 x축에 있는 원의 중심을 $(b, 0)$라고 하자. 조건에서 이 점은 원 $x^2 + y^2 = 1$밖에 있으므로 $|b| > 1$이고 구하는 원의 반지름의 길이는 $|b| - 1$이다. 직선 $y - 2x = 0$과 점 $(b, 0)$의 거리도 원의 반지름의 길이와 같으므로 $\dfrac{|0 - 2 \cdot b|}{\sqrt{1^2 + (-2)^2}} = |b| - 1$이다. 이 식을 계산하면 $|b| = 5 + 2\sqrt{5}$이다.

따라서 중심이 x축에 있는 구하는 원의 중심은 모두 $(5 + 2\sqrt{5}, 0)$, $(-5 - 2\sqrt{5}, 0)$이다.

앞서 구한 원의 중심 $\left(0, \frac{5+\sqrt{5}}{4}\right)$, $\left(0, \frac{-5-\sqrt{5}}{4}\right)$, $(5 + 2\sqrt{5}, 0)$, $(-5 - 2\sqrt{5}, 0)$을 꼭지점 으로 하는 다각형은 마름모꼴이다. 따라서 이 다각형의 넓이는

$$\frac{1}{2}\left(\frac{5+\sqrt{5}}{4} - \left(\frac{-5-\sqrt{5}}{4}\right)\right) \cdot (5 + 2\sqrt{5} - (-5 - 2\sqrt{5})) = \frac{35 + 15\sqrt{5}}{2}$$

이다.

4. 2024학년도 이화여대 모의 논술 II

[문항 1] 좌표평면에 주어진 이차함수 $y = x^2 + \dfrac{1}{4}$의 그래프 위의 임의의 점 P에 그은 접선이 이차함수 $y = x^2$의 그래프와 만나는 점의 좌표를 각각 $Q(a_1,\ b_1)$, $R(a_2,\ b_2)$라 할 때 다음 물음에 답하시오. [35점]

(1) $P\left(0,\ \dfrac{1}{4}\right)$일 때, 접선과 $y = x^2$으로 둘러싸인 도형의 넓이를 구하시오.

(2) $y = x^2 + \dfrac{1}{4}$ 위의 임의의 점 P에 대하여 $|a_2 - a_1| = 1$임을 보이시오.

(3) $\overline{QR} = 7$일 때, 접선의 기울기를 구하시오.

(4) 자연수 k에 대하여 점 $P\left(k,\ k^2 + \dfrac{1}{4}\right)$에서 $y = x^2 + \dfrac{1}{4}$에 대한 접선의 기울기를 m_k라고 하고 접선과 $y = x^2$으로 둘러싸인 도형의 넓이를 A_k라고 하자. 이 때 $\displaystyle\sum_{k=2}^{\infty} \dfrac{1}{\left(m_k^2 - 24A_k\right)}$의 값을 구하시오.

[문항 2] 무리수 $\sqrt{15}$에 대하여 다음이 성립할 때, 아래 물음에 답하시오. [35점]

$a,\ b,\ c,\ d$가 유리수일 때 $a = c,\ b = d$이면 $a + b\sqrt{15} = c + d\sqrt{15}$이다. 거꾸로 $a + b\sqrt{15} = c + d\sqrt{15}$이면, $a = c,\ b = d$이다.

(1) 정수 m, n에 대하여 함수 $f(x) = x^4 + mx^2 + n$라 할 때, $\sqrt{3} + \sqrt{5}$가 $f(x) = 0$의 근이 되는 m, n의 값을 구하시오.

(2) 문항 (1)에서 구한 m, n에 대하여 $x^4 + mx^2 + n = 0$의 서로 다른 실근의 개수를 구하시오.

(3) 문항 (1)에서 구한 m, n에 대하여 $x^4 + mx^2 + n = 0$의 실근이 모두 무리수임을 귀류법을 이용하여 보이시오.

(4) 위 문항으로부터 $\sqrt{3} + \sqrt{5}$가 무리수임을 보이시오.

[문항 3] 좌표평면의 원 $x^2 + y^2 = 1$에 대하여 다음 물음에 답하시오. [30점]

(1) 중심이 y축에 있고 원 $x^2 + y^2 = 1$과 한 점에서 만나며 직선 $y = 2x$에 접하는 원의 방정식을 모두 구하시오.

(2) 문항 (1)에서 구한 원은 모두 직선 $y = -2x$에 접함을 보이시오.

(3) 중심이 x축 또는 y축에 있고 원 $x^2 + y^2 = 1$과 한 점에서 만나며 직선 $y = 2x$에 접하는 모든 원에 대하여 반지름의 길이의 최댓값과 최솟값의 합을 구하시오.

[문항 1] (1)

점 $P\left(0,\ \dfrac{1}{4}\right)$를 지나며 기울기가 m인 직선은 $y = mx + \dfrac{1}{4}$이다. 이 직선이 $y = x^2 + \dfrac{1}{4}$의 접선일 때는 $x^2 + \dfrac{1}{4} = mx + \dfrac{1}{4}$가 중근을 가질 때이므로 판별식 $D = m^2 = 0$에 따라 $m = 0$이다. 따

라서 접선은 $y = \dfrac{1}{4}$ 이고 구하는 도형의 넓이는 $\displaystyle\int_{-\frac{1}{2}}^{\frac{1}{2}} \left(\dfrac{1}{4} - x^2 \right) dx = \dfrac{1}{6}$ 이다.

※별해

$y = x^2 + \dfrac{1}{4}$ 의 도함수 $y' = 2x$ 이므로 그래프 위의 점 $\mathrm{P}\left(0, \dfrac{1}{4} \right)$ 에서 접선의 방정식은

$y = 0 \cdot (x - 0) + \dfrac{1}{4} = \dfrac{1}{4}$ 이다.

따라서 접선은 $y = \dfrac{1}{4}$ 이고 구하는 도형의 넓이는 $\displaystyle\int_{-\frac{1}{2}}^{\frac{1}{2}} \left(\dfrac{1}{4} - x^2 \right) dx = \dfrac{1}{6}$ 이다.

[문항 1] (2)

임의의 점 $\mathrm{P}\left(t, \; t^2 + \dfrac{1}{4} \right)$ 를 지나며 기울기가 m 인 직선은 $y = m(x - t) + t^2 + \dfrac{1}{4}$ 이다. 이 직선

이 $y = x^2 + \dfrac{1}{4}$ 의 접선일 때는 $x^2 + \dfrac{1}{4} = m(x - t) + t^2 + \dfrac{1}{4}$, 즉 $x^2 - mx + mt - t^2 = 0$ 이 중근

을 가질 때 이므로 $D = (m - 2t)^2 = 0$ 이므로 $m = 2t$ 이다. 따라서 접선은 $y = 2t(x - t) + t^2 + \dfrac{1}{4}$

이다. 접선과 $y = x^2$ 가 만나는 점의 x 좌표 a_1, a_2 가 $x^2 - 2tx + t^2 - \dfrac{1}{4} = 0$ 의 근이다. 따라서 이

차방정식의 근과 계수의 관계로부터 $(a_2 - a_1)^2 = (a_2 + a_1)^2 - 4a_2 a_1 = (2t)^2 - 4\left(t^2 - \dfrac{1}{4} \right) = 1$ 이고

$|a_2 - a_1| = 1$ 이다.

※별해

접선의 방정식이 $y - a_2^2 = \dfrac{a_2^2 - a_1^2}{a_2 - a_1}(x - a_2) = (a_2 + a_1)(x - a_2)$ 이므로 $y = (a_1 + a_2)x - a_1 a_2$ 이다.

따라서 $x^2 + \dfrac{1}{4} = (a_1 + a_2)x - a_1 a_2$, 즉 $x^2 - (a_1 + a_2)x - \left(a_1 a_2 + \dfrac{1}{4} \right) = 0$ 이 중근을 가지므로 판

별식 조건으로부터

$$D = (a_1 + a_2)^2 - 4\left(a_1 a_2 + \dfrac{1}{4} \right) = 0 \Rightarrow (a_2 - a_1)^2 = 1$$

이므로 $|a_2 - a_1| = 1$ 이다.

[문항 1] (3)

$\overline{\mathrm{QR}} = 7$ 이므로 $(a_2 - a_1)^2 + (b_2 - b_1)^2 = 49 = \overline{\mathrm{QR}}^2$ 이다.

따라서 문항 ②로부터 $|a_2 - a_1| = 1$ 이므로 $|b_2 - b_1| = \sqrt{48}$ 이다. 따라서 기울기는 $\dfrac{b_2 - b_1}{a_2 - a_1}$ 이므로

구하는 직선의 기울기는 $4\sqrt{3}$ 또는 $-4\sqrt{3}$ 이다.

[문항 1] (4)

점 $P\left(k,\ k^2+\dfrac{1}{4}\right)$에서 $y=x^2+\dfrac{1}{4}$에 대한 접선은 기울기가 $2k$인 직선이므로 접선의 방정식은

$$y=2k(x-k)+k^2+\frac{1}{4}$$

이다. 이 직선과 $y=x^2$의 교점을 구하면, $x^2=2k(x-k)+k^2+\dfrac{1}{4}$의 해가 $x=k\pm\dfrac{1}{2}$이므로

$$\left(k-\frac{1}{2},\ \left(k-\frac{1}{2}\right)^2\right),\ \left(k+\frac{1}{2},\ \left(k+\frac{1}{2}\right)^2\right)$$

이다.

따라서 접선과 $y=x^2$으로 둘러싸인 도형의 넓이는

$$\int_{k-\frac{1}{2}}^{k+\frac{1}{2}}\left\{\left(2k(x-k)+k^2+\frac{1}{4}\right)-x^2\right\}dx$$

이다.

$$\int_{k-\frac{1}{2}}^{k+\frac{1}{2}}\left\{2kx-k^2+\frac{1}{4}-x^2\right\}dx$$

$$=k\left\{\left(k+\frac{1}{2}\right)^2-\left(k-\frac{1}{2}\right)^2\right\}+\left(-k^2+\frac{1}{4}\right)\left\{\left(k+\frac{1}{2}\right)-\left(k-\frac{1}{2}\right)\right\}-\frac{1}{3}\left\{\left(k+\frac{1}{2}\right)^3-\left(k-\frac{1}{2}\right)^3\right\}$$

$$=\frac{1}{6}$$

이므로 k에 관계없이 일정하다. 따라서 $m_k=2k$이고 $A_k=\dfrac{1}{6}$이므로

$$\sum_{k=2}^{\infty}\frac{1}{\left(m_k^2-24A_k\right)}=\sum_{k=2}^{\infty}\frac{1}{4k^2-4}=\frac{1}{4}\sum_{k=2}^{\infty}\frac{1}{\left(k^2-1\right)}$$

이다. 이때 급수 $\displaystyle\sum_{k=2}^{\infty}\frac{1}{\left(k^2-1\right)}$의 제 2항부터 제 k항까지의 부분합을 S_k이라고 하면

$$\frac{1}{\left(k^2-1\right)}=\frac{1}{2}\left(\frac{1}{k-1}-\frac{1}{k+1}\right)$$

이므로

$$S_k=\frac{1}{2}\left(\left(\frac{1}{1}-\frac{1}{3}\right)+\left(\frac{1}{2}-\frac{1}{4}\right)+\left(\frac{1}{3}-\frac{1}{5}\right)+\cdots+\left(\frac{1}{k-2}-\frac{1}{k}\right)+\left(\frac{1}{k-1}-\frac{1}{k+1}\right)\right)$$

$$=\frac{1}{2}\left(1+\frac{1}{2}-\frac{1}{k}-\frac{1}{k+1}\right)$$

이고 $\displaystyle\lim_{k\to\infty}S_k=\lim_{k\to\infty}\frac{1}{2}\left(1+\frac{1}{2}-\frac{1}{k}-\frac{1}{k+1}\right)=\frac{3}{4}$이다.

따라서 $\displaystyle\sum_{k=2}^{\infty}\frac{1}{\left(m_k^2-24A_k\right)}=\frac{1}{4}\sum_{k=2}^{\infty}\frac{1}{\left(k^2-1\right)}=\frac{3}{16}$이다.

[문항 2] (1)

$$f(\sqrt{3}+\sqrt{5})=(\sqrt{3}+\sqrt{5})^4+m(\sqrt{3}+\sqrt{5})^2+n=(8m+n+124)+(2m+32)\sqrt{15}=0$$

이므로 지문에 주어진 사실로부터 m, n에 관한 두 방정식 $8m+n+124=0$과 $2m+32=0$을 얻게 된다. 이 연립방정식을 풀면 $m=-16$이고 $n=4$이다.

[문항 2] (2)

방정식 $f(x)=x^4-16x^2+4=0$의 서로 다른 실근의 개수는 함수 $y=f(x)$의 그래프와 x축의 교점의 개수와 같다. 여기서 도함수 $y=f'(x)$를 통해 함수 $y=f(x)$의 그래프의 개형을 알아본다. 이때 $f'(x)=4x^3-32x=4x(x-2\sqrt{2})(x+2\sqrt{2})$이므로 $f'(x)=0$을 만족시키는 x의 값은 $x=-2\sqrt{2}$, $x=0$ 또는 $x=2\sqrt{2}$이다. $f'(x)$의 부호를 조사하여 $f(x)$의 증가와 감소를 표로 나타내면 다음과 같다.

x	$\cdots$	$-2\sqrt{2}$	$\cdots$	0	$\cdots$	$2\sqrt{2}$	$\cdots$
$f'(x)$	$-$	0	$+$	0	$-$	0	$+$
$f(x)$	$\searrow$	-60	$\nearrow$	4	$\searrow$	-60	$\nearrow$

따라서 실근이 4개의 구간 $(-\infty,\ -2\sqrt{2})$, $(-2\sqrt{2},\ 0)$, $(0,\ 2\sqrt{2})$, $(2\sqrt{2},\ \infty)$에서 하나씩 존재한다. 즉, 함수 $y=f(x)$의 그래프는 x축과 서로 다른 네 점에서 만나므로 방정식 $f(x)=0$의 서로 다른 실근의 개수는 4이다.

[문항 2] (3)

문항 (2)로부터 $x^4-16x^2+4=0$의 근이 모두 실수이므로 근이 모두 무리수라는 결론을 부정하여 $x^4-16x^2+4=0$는 적어도 하나의 유리수인 근 α을 가진다고 가정한다. α와 $-\alpha$가 모두 $x^4-16x^2+4=0$의 근이 되므로 $\alpha=\dfrac{p}{q}$ (p, q은 서로소인 자연수)로 나타낼 수 있다.

$x^4-16x^2+4=0$에 근 $\dfrac{p}{q}$을 대입한 후 양변을 q^4로 곱하여 정리하면

$$p^4=16p^2q^2-4q^4=4q^2(4p^2-q^2)$$

이다. 여기서 $4q^2(4p^2-q^2)$이 짝수이므로 p^4이 짝수이고 p도 짝수이다. 따라서 $p=2k$(k는 자연수)로 나타내면 $(2k)^4=4q^2(16k^2-q^2)$이고

$$4k^4=q^2(16k^2-q^2)$$

이다. 만약 q가 홀수이면 q^2와 $16k^2-q^2$이 모두 홀수가 되므로, 두 홀수의 곱 $q^2(16k^2-q^2)$은 다시 홀수가 되지만 $4k^4$가 짝수이므로 모순이다. 결국 q는 짝수이다. 그러면 p, q가 모두 짝수이므로 서로소인 자연수라는 가정의 모순이다. 귀류법에 따라서 $x^4-16x^2+4=0$는 모두 무리수인 근을 가진다.

※별해

방정식 $x^4-16x^2+4=0$는 적어도 하나의 유리수인 근 α을 가진다고 가정한다. 이때 α^2은 유리수이고 방정식 $t^2-16t+4=0$의 근이 된다. 이 이차방정식의 근이 $8\pm2\sqrt{15}$이므로 α^2은 $8\pm2\sqrt{15}$중 하나가 된다. $8\pm2\sqrt{15}$가 무리수이므로 α^2이 유리수인 가정에 모순이다. 귀류법 따라서 $x^4-16x^2+4=0$는 모두 무리수인 근을 가진다.

[문항 2] (4)

문항 (1)에 의하여 $x^4 - 16x^2 + 4 = 0$은 $\sqrt{3} + \sqrt{5}$을 근으로 가진다. 문항 (2)에 따라서 $x^4 - 16x^2 + 4 = 0$은 서로 다른 4개의 실근을 가지므로 $\sqrt{3} + \sqrt{5}$는 실수임을 알 수 있다. 문항 (3)의 결과로부터 $x^4 - 16x^2 + 4 = 0$은 항상 무리수인 근을 가진다. 따라서 $\sqrt{3} + \sqrt{5}$는 $x^4 - 16x^2 + 4 = 0$의 실근이므로 무리수이다.

[문항 3] (1)

구하는 원의 중심을 $(0, a)$라고 두면 이 점이 원 $x^2 + y^2 = 1$의 밖에 있거나 안에 있을 수 있다. 원의 중심이 원의 밖에 있을 때 반지름의 길이는 $|a| - 1$이고 원의 안에 있을 때 반지름의 길이가 $1 - |a|$이다.

반지름의 길이가 $|a| - 1$일때 직선 $y - 2x = 0$과 점 $(0, a)$의 거리도 원의 반지름의 길이와 같으므로

$$\frac{|a - 2 \cdot 0|}{\sqrt{1^2 + (-2)^2}} = |a| - 1$$

이다. 이 식을 계산하면 $|a| = \dfrac{5 + \sqrt{5}}{4}$이다. 반지름의 길이가 $1 - |a|$일 때 직선 $y - 2x = 0$과 점 $(0, a)$의 거리도 원의 반지름의 길이와 같으므로

$$\frac{|a - 2 \cdot 0|}{\sqrt{1^2 + (-2)^2}} = 1 - |a|$$

이다. 이 식을 계산하면 $|a| = \dfrac{5 - \sqrt{5}}{4}$이다.

따라서 구하는 원의 방정식은 모두

$$x^2 + \left(y - \frac{5 + \sqrt{5}}{4}\right)^2 = \left(\frac{1 + \sqrt{5}}{4}\right)^2, \quad x^2 + \left(y + \frac{5 + \sqrt{5}}{4}\right)^2 = \left(\frac{1 + \sqrt{5}}{4}\right)^2$$

$$x^2 + \left(y - \frac{5 - \sqrt{5}}{4}\right)^2 = \left(\frac{-1 + \sqrt{5}}{4}\right)^2, \quad x^2 + \left(y + \frac{5 - \sqrt{5}}{4}\right)^2 = \left(\frac{-1 + \sqrt{5}}{4}\right)^2$$

이다.

[문항 3] (2)

문항 (1)에서 구한 원의 중심과 직선 $y + 2x = 0$의 거리가 원의 반지름의 길이와 같으면 원이 직선 $y + 2x = 0$에 접한다.

원 $x^2 + \left(y - \dfrac{5 + \sqrt{5}}{4}\right)^2 = \left(\dfrac{1 + \sqrt{5}}{4}\right)^2$의 중심 $\left(0, \dfrac{5 + \sqrt{5}}{4}\right)$와 직선 $y + 2x = 0$의 거리는

$$\frac{\left|\dfrac{5 + \sqrt{5}}{4} + 2 \cdot 0\right|}{\sqrt{1^2 + 2^2}} = \frac{\sqrt{5} + 1}{4}$$ 이다. 이 거리는 반지름의 길이 $\dfrac{1 + \sqrt{5}}{4}$와 같으므로 원과 직선이 접

한다. 마찬가지로 원 $x^2 + \left(y + \dfrac{5+\sqrt{5}}{4}\right)^2 = \left(\dfrac{1+\sqrt{5}}{4}\right)^2$ 의 중심 $\left(0, -\dfrac{5+\sqrt{5}}{4}\right)$와 직선

$y + 2x = 0$의 거리도 $\dfrac{\left|-\dfrac{5+\sqrt{5}}{4} + 2 \cdot 0\right|}{\sqrt{1^2 + 2^2}} = \dfrac{\sqrt{5}+1}{4}$이다. 이 거리 또한 반지름의 길이 $\dfrac{1+\sqrt{5}}{4}$

와 같으므로 원과 직선이 접한다.

원 $x^2 + \left(y - \dfrac{5-\sqrt{5}}{4}\right)^2 = \left(\dfrac{-1+\sqrt{5}}{4}\right)^2$ 의 중심 $\left(0, \dfrac{5-\sqrt{5}}{4}\right)$와 직선 $y + 2x = 0$의 거리는

$\dfrac{\left|\dfrac{5-\sqrt{5}}{4} + 2 \cdot 0\right|}{\sqrt{1^2 + 2^2}} = \dfrac{\sqrt{5}-1}{4}$이다. 이 거리는 반지름의 길이 $\dfrac{-1+\sqrt{5}}{4}$와 같으므로 원과 직선이

접한다. 마찬가지로 원 $x^2 + \left(y + \dfrac{5-\sqrt{5}}{4}\right)^2 = \left(\dfrac{-1+\sqrt{5}}{4}\right)^2$ 의 중심 $\left(0, -\dfrac{5-\sqrt{5}}{4}\right)$와 직선

$y + 2x = 0$의 거리도 $\dfrac{\left|-\dfrac{5-\sqrt{5}}{4} + 2 \cdot 0\right|}{\sqrt{1^2 + 2^2}} = \dfrac{\sqrt{5}-1}{4}$이다. 이 거리 또한 반지름의 길이

$\dfrac{-1+\sqrt{5}}{4}$와 같으므로 원과 직선이 접한다.

※ 별해

문항 (1)에서 구한 원은 모두 중심이 y축에 있으므로 y축에 대하여 대칭이다. 직선 $y = 2x$를 y축에 대하여 대칭이동하면 직선 $y = -2x$이다. 문항 (1)에서 구한 원이 각각 직선 $y = 2x$와 한 점에서 만나므로 y축에 대하여 대칭이동한 직선 $y = -2x$와 각각 한 점에서 만난다. 따라서 문항 (1)에서 구한 원은 모두 직선 $y = -2x$에 접한다.

[문항 3] (3)

원의 중심이 y축에 있는 경우 원의 반지름은 문항 (1)에서 모두 구하여 $\dfrac{1+\sqrt{5}}{4}$, $\dfrac{-1+\sqrt{5}}{4}$이다.

중심이 x축에 있는 원의 중심을 $(b, 0)$라고 하자. 이 점이 원 $x^2 + y^2 = 1$밖에 있으면 구하는 원의 반지름의 길이는 $|b| - 1$이고 원 안에 있으면 원의 반지름의 길이는 $1 - |b|$이다. 직선 $y - 2x = 0$과 점 $(b, 0)$의 거리도 원의 반지름의 길이와 같으므로 구하는 중심이 원 밖에 있을 때

$$\dfrac{|0 - 2 \cdot b|}{\sqrt{1^2 + (-2)^2}} = |b| - 1$$

이다. 이 식을 계산하면 $|b| = 5 + 2\sqrt{5}$이다. 따라서 중심이 x축에 있고 원 $x^2 + y^2 = 1$밖에서 조건을 만족하는 원의 반지름의 길이는 $4 + 2\sqrt{5}$이다. 마찬가지로 구하는 원의 중심이 원 안에 있을 때

$$\frac{|0-2\cdot b|}{\sqrt{1^2+(-2)^2}}=1-|b|$$

이다. 이 식을 계산하면 $|b|=5-2\sqrt{5}$ 이다. 따라서 중심이 x축에 있고 원 $x^2+y^2=1$ 안에서 조건을 만족하는 원은 반지름의 길이가 $-4+2\sqrt{5}$ 이다.

이제 조건을 만족하는 원들의 반지름의 길이의 크기를 모두 비교하면

$$\frac{-1+\sqrt{5}}{4}<-4+2\sqrt{5}<\frac{1+\sqrt{5}}{4}<4+2\sqrt{5}$$

이다. 따라서 구하는 최댓값과 최솟값의 합은 $(4+2\sqrt{5})+\dfrac{-1+\sqrt{5}}{4}=\dfrac{15+9\sqrt{5}}{4}$ 이다.

5. 2023학년도 이화여대 수시 논술

[문항 1] 실수 전체의 집합에서 연속인 함수 $f(x)$가 다음 조건을 만족시킨다.

> (가) $2n\le x<2n+2$일 때, $f(x)=1-|x-2n-1|$이다. (단, $n=0,\ 1,\ 2,\ 3,\ \cdots$이다.)
> (나) $x<0$일 때, $f(x)=0$이다.

닫힌구간 $[2n,\ 2n+2]$에서 직선 $y=ax(0<a<1)$와 함수 $y=f(x)$의 그래프가 두 점에서 만날 때 직선과 함수의 그래프로 둘러싸인 도형의 넓이를 S_n이라 한다. 아래 물음에 답하시오. [40점]

(1) S_0을 구하시오.

(2) 닫힌구간 $[2n,\ 2n+2]$에서 직선 $y=ax$와 함수 $y=f(x)$의 그래프가 두 점에서 만나 도록 하는 실수 a의 값의 범위를 구하고 S_n을 구하시오.

(3) 실수 a에 대하여 직선 $y=ax$와 함수 $y=f(x)$의 그래프가 닫힌구간 $[2n,\ 2n+2]$에서 두 점에서 만나고 닫힌구간 $[2n+2,\ 2n+4]$에서는 한 점에서 만나거나 만나지 않는 자연수 n의 값의 범위를 a로 나타내고 극한값 $\lim\limits_{a\to 0+}na$를 구하시오.

(4) 문항 (3)에서 구한 자연수 n의 값의 범위에 대하여 극한값 $\lim\limits_{a\to 0+}\dfrac{1}{n}(S_0+S_1+\cdots+S_n)$을 구하시오.

[문항 2] 실수 m, b에 대하여 직선 $y=mx+b$가 함수 $y=|x(x-2)|$의 그래프와 서로 다른 세 점에서 만날 때 아래 물음에 답하시오. [30점]

(1) $m=1$일 때 위 조건을 만족하는 b의 값을 모두 구하시오.

(2) $m\ge 0$, $b>0$일 때 위 조건을 만족하는 m의 값의 범위를 구하고 b를 m으로 나타내시오.

(3) $m\ge 0$, $b>0$일 때 직선 $y=mx+b$와 함수 $y=|x(x-2)|$의 그래프의 세 교점을 x좌표의 크기순으로 A, B, C라 하자. 교점 A와 B사이에서 직선과 함수의 그래프로 둘러싸인 부분의 넓이와 교점 B와 C사이에서 직선과 함수의 그래프로 둘러싸인 부분의 넓이가 서로 같아지는 실수 b의 값을 모두 구하시오.

[문항 3] 좌표평면 위에서 원 $x^2+y^2=1$의 내부를 색칠하여 얻게 되는 그림을 P_0이라 하자. P_0에 원 $(x-1)^2+y^2=1$과 원 $(x+1)^2+y^2=1$의 내부를 색칠한 부분을 더하여 얻게 되는 그림을 P_1이라 하고 P_1에 원 $(x-2)^2+y^2=1$과 원 $(x+2)^2+y^2=1$의 내부를 색칠 한 부분을 더하여 얻게 되는 그림을 P_2라 한다. 이 과정을 계속하여 P_n에 원 $(x-n-1)^2+y^2=1$과 원 $(x+n+1)^2+y^2=1$의 내부를 색칠한 부분을 더하여 얻게 되는 그림을 P_{n+1}이라 한다. P_n에 색칠되어 있는 부분의 넓이를 S_n이라 하자. (단, $n=0,\ 1,\ 2,\ 3,\ \cdots$이다.)

한 변의 길이가 1인 정삼각형의 넓이를 α라 하고, 반지름의 길이가 1이고 중심각의 크기가 $\dfrac{\pi}{3}$인 부채꼴에서 호의 양 끝점과 중심을 꼭짓점으로 하는 삼각형을 제외한 도형의 넓이를 β라 할 때 아래 물음에 답하시오. [30점]

(1) S_0을 $a_0\alpha+b_0\beta$로 나타낼 때 자연수 a_0, b_0을 구하시오.

(2) S_1을 $a_1\alpha+b_1\beta$로 나타낼 때 자연수 a_1, b_1을 구하시오.

(3) S_{2023}을 $a_{2023}\alpha+b_{2023}\beta$로 나타낼 때 자연수 a_{2023}, b_{2023}을 구하시오.

[문항 1] (1)

구간 $[0,\ 2]$에서 함수 $y=f(x)$의 그래프는 구간 $[0,\ 1]$에서는 $y=x$이고 구간 $[1,\ 2]$에서는 $y=2-x$이다. 그러므로 직선 $y=ax$와 함수 $y=f(x)$의 그래프의 교점은 각각 $y=ax$와 $y=x$의 교점 $(0,\ 0)$과 $y=ax$와 $y=2-x$의 교점 $\left(\dfrac{2}{1+a},\ \dfrac{2a}{1+a}\right)$이다. 따라서 구간 $[0,\ 2]$에서 직선 $y=ax$와 함수 $y=f(x)$의 그래프로 둘러싸인 도형은 두 교점 $(0,\ 0)$, $\left(\dfrac{2}{1+a},\ \dfrac{2a}{1+a}\right)$와 함수 $y=f(x)$의 그래프 위의 점 $(1,\ 1)$이 이루는 삼각형이다.

두 교점 사이의 거리는 $\dfrac{2\sqrt{1+a^2}}{1+a}$이고, 점 $(1,\ 1)$로부터 직선 $y=ax$에 이르는 거리는

$$\frac{|1-a\cdot1|}{\sqrt{1+a^2}}=\frac{1-a}{\sqrt{1+a^2}}\,(0<a<1)$$

이므로

$$S_0=\frac{1}{2}\cdot\frac{2\sqrt{1+a^2}}{1+a}\cdot\frac{1-a}{\sqrt{1+a^2}}=\frac{1-a}{1+a}$$

이다.

[문항 1] (2)

구간 $[2n,\ 2n+2]$에서 함수 $y=f(x)$의 그래프는 구간 $[2n,\ 2n+1]$에서는 $y=x-2n$이고, 구간 $[2n+1,\ 2n+2]$에서는 $y=2n+2-x$이다. 따라서 직선 $y=ax$와 함수 $y=f(x)$의 그래프가 구간 $[2n,\ 2n+2]$에서 두 점에서 만나려면 함수 $y=f(x)$의 그래프 위의 점 $(2n+1,\ 1)$이 직선 $y=ax$보다 위쪽에 있어야 한다.

즉

$$a(2n+1) < 1$$

이다. 따라서 a의 값의 범위는

$$0 < a < \frac{1}{2n+1}$$

이다.

이때 직선 $y = ax$와 함수 $y = f(x)$의 그래프의 두 교점은 각각 구간 $[2n, \ 2n+1]$에서 $y = x - 2n$과 $y = ax$의 교점, 그리고 구간 $[2n+1, \ 2n+2]$에서 $y = 2n+2-x$와 $y = ax$의 교점이다. 따라서

$$ax = x - 2n \ (2n \leq x < 2n+1), \quad ax = 2n+2-x \ (2n+1 \leq x \leq 2n+2)$$

를 만족시킨다. 따라서 두 교점은

$$\left(\frac{2n}{1-a}, \ \frac{2na}{1-a}\right), \quad \left(\frac{2(n+1)}{1+a}, \ \frac{2(n+1)a}{1+a}\right)$$

이다.

두 교점 사이의 거리는

$$\sqrt{\left(\frac{2(n+1)}{1+a} - \frac{2n}{1-a}\right)^2 + \left(\frac{2(n+1)a}{1+a} - \frac{2na}{1-a}\right)^2} = \frac{2\sqrt{1+a^2}\,(1-a-2na)}{1-a^2}$$

이다. 함수 $y = f(x)$의 그래프 위의 점 $(2n+1, \ 1)$로부터 직선 $y = ax$에 이르는 거리가

$$\frac{|1-a(2n+1)|}{\sqrt{1+a^2}} = \frac{1-(2n+1)a}{\sqrt{1+a^2}}\left(0 < a < \frac{1}{2n+1}\right)$$

이므로

$$S_n = \frac{1}{2} \cdot \frac{2\sqrt{1+a^2}\,(1-a-2na)}{1-a^2} \cdot \frac{1-(2n+1)a}{\sqrt{1+a^2}} = \frac{(1-a-2na)^2}{1-a^2}$$

이다.

[문항 1] (3)

문항 (2)의 결과로부터 $0 < a < \dfrac{1}{2n+1}$ 일 때, 구간 $[2n, \ 2n+2]$에서 직선 $y = ax$와 함수 $y = f(x)$의 그래프가 두 점에서 만나므로 자연수 n은

$$n < \frac{1-a}{2a}$$

를 만족한다.

한편 구간 $[2n+2, \ 2n+4]$에서 직선 $y = ax$와 함수 $y = f(x)$의 그래프가 한 점에서만 만나거나 만나지 않으려면 함수 $y = f(x)$의 그래프 위의 점 $(2n+3, \ 1)$이 직선 $y = ax$위의 점이거나 직선보다 아래쪽에 있다. 즉

$$a(2n+3) \geq 1$$

이다. 따라서 자연수 n은

$$n \geq \frac{1-3a}{2a}$$

를 만족한다.

위 결과로부터 직선 $y=ax$와 함수 $y=f(x)$의 그래프가 구간 $[2n,\ 2n+2]$에서 두 점에서 만나고 구간 $[2n+2,\ 2n+4]$에서는 한 점에서 만나거나 만나지 않는 자연수 n의 값의 범위는

$$\frac{1-3a}{2a}\le n<\frac{1-a}{2a}$$

이다.

자연수 n의 값의 범위가 $\dfrac{1-3a}{2a}\le n<\dfrac{1-a}{2a}$ 이므로 $1-3a\le 2na<1-a$이다. 따라서

$\displaystyle\lim_{a\to 0+} na=\frac{1}{2}$ 이다.

[문항 1] (4)

문항 (3)의 결과로부터 자연수 n의 값의 범위가 $\dfrac{1-3a}{2a}\le n<\dfrac{1-a}{2a}$ 일 때 구간 $[2n,\ 2n+2]$에서 직선 $y=ax$와 함수 $y=f(x)$의 그래프가 두 점에서 만난다. 이때 모든 $k=0,\ 1,\ 2,\ \cdots,\ n$에 대하여

$$S_k=\frac{(1-a-2ka)^2}{1-a^2}=\frac{1}{1-a^2}\left(4a^2k^2-4a(1-a)k+(1-a)^2\right)$$

이다. 따라서

$$\frac{1}{n}\left(S_0+S_1+\cdots+S_n\right)$$

$$=\frac{1}{(1-a^2)n}\sum_{k=0}^{n}\left(4a^2k^2-4a(1-a)k+(1-a)^2\right)$$

$$=\frac{1}{(1-a^2)n}\left(\frac{4a^2 n(n+1)(2n+1)}{6}-\frac{4a(1-a)n(n+1)}{2}+(1-a)^2(n+1)\right)$$

$$=\frac{n+1}{(1-a^2)n}\left(\frac{2a^2 n(2n+1)}{3}-2a(1-a)n+(1-a)^2\right)$$

$$=\frac{n+1}{(1-a^2)n}\left(\frac{4a^2 n^2}{3}+\frac{2(4a-3)an}{3}+(1-a)^2\right)$$

이다. 한편 $\dfrac{1-3a}{2a}\le n<\dfrac{1-a}{2a}$ 이므로 $\dfrac{2a}{1-a}<\dfrac{1}{n}\le\dfrac{2a}{1-3a}$ 를 얻는다. 따라서 $\displaystyle\lim_{a\to 0+}\frac{1}{n}=0$

이다. 또한 문항 ③의 결과로부터 $\displaystyle\lim_{a\to 0+} na=\frac{1}{2}$ 이므로 구하는 극한값은

$$\lim_{a\to 0+}\frac{1}{n}\left(S_0+S_1+\cdots+S_n\right)=\lim_{a\to 0+}\frac{n+1}{(1-a^2)n}\left(\frac{4a^2 n^2}{3}+\frac{2(4a-3)an}{3}+(1-a)^2\right)$$

$$=\lim_{a\to 0+}\frac{1}{1-a^2}\left(1+\frac{1}{n}\right)\left(\frac{4}{3}(na)^2+\frac{2(4a-3)}{3}(na)+(1-a)^2\right)$$

$$=\frac{1}{3}$$

이다.

[문항 2] (1)

직선 $y = x + b$를 y축을 따라 평행 이동하면 $b = -2$일 때 함수 $y = |x(x-2)|$의 그래프와 한 점에서 만나고 $-2 < b < 0$일 때 두 점에서 만난다. 그리고 $b = 0$일 때 세 점에서 만난다.

$b > 0$이면 직선이 $0 < x < 2$에서 함수의 그래프에 접할 때만 세 점에서 만난다. 직선 $y = x + b$와 $y = -x(x-2)$가 접하면 $-x^2 + 2x = x + b$가 중근을 가지므로 판별식 $D = 1 - 4b = 0$이다.

즉, $b = \dfrac{1}{4}$일 때 직선과 함수의 그래프가 세 점에서 만난다.

따라서 구하는 값은 $b = 0$, $\dfrac{1}{4}$이다.

[문항 2] (2)

$m \geq 0$, $b > 0$일 때 직선 $y = mx + b$는 점 $(0, 0)$, $(2, 0)$을 지날 수 없다. 따라서 직선이 함수 $y = |x(x-2)|$의 그래프와 세 점에서 만나는 경우는 직선이 $0 < x < 2$에서 $y = -x(x-2)$의 그래프에 접할 때이다. 따라서 이차방정식 $-x^2 + 2x = mx + b$가 중근을 갖고, 중근이 $0 < x < 2$에 있다. 판별식 $D = (m-2)^2 - 4b = 0$이므로 $b = \dfrac{1}{4}(m-2)^2$이고, 중근 $1 - \dfrac{m}{2}$은 $0 < 1 - \dfrac{m}{2} < 2$를 만족시키므로 $0 \leq m < 2$이다. 그러므로 $0 \leq m < 2$일 때 $b = \dfrac{1}{4}(m-2)^2$이다.

[문항 2] (3)

문항 (2)의 결과로부터 직선 $y = mx + b$와 함수 $y = |x(x-2)|$의 그래프가 세 점에서 만날 때는 직선과 함수의 그래프가 접할 때이고, $b = \dfrac{1}{4}(m-2)^2 \ (0 \leq m < 2)$이므로 $0 < b \leq 1$이다.

직선 $y = mx + b$와 함수 $y = |x(x-2)|$의 그래프의 세 교점이 x좌표의 크기순으로 A, B, C이라고 했으므로 직선 $y = mx + b$와 함수 $y = x(x-2)$의 그래프의 교점을 $A(\alpha, m\alpha + b)$, $C(\beta, m\beta + b)$, $\alpha < \beta$라 하고 접점을 $B(p, q)$라 하자. 그리고 교점 A와 B사이에서 직선과 함수의 그래프로 둘러싸인 도형의 넓이를 S_1, 교점 B와 C사이에서 직선과 함수의 그래프로 둘러싸인 도형의 넓이를 S_2라 하자.

(i) $b = 1$일 때, 직선 $y = 1$이 $y = -x(x-2)$의 그래프에 접하고 직선과 함수 $y = |x(x-2)|$의 그래프로 둘러싸인 두 도형은 $y = -x(x-2)$의 대칭축 $x = 1$에 대하여 대칭이다. 따라서 직선 $y = 1$과 함수 $y = |x(x-2)|$의 그래프로 둘러 싸인 두 도형의 넓이가 같다. 이때 직선 $y = 1$과 $y = x(x-2)$의 교점은 $(1 - \sqrt{2}, 1)$, $(1 + \sqrt{2}, 1)$이다.

(ii) $0 < b < 1$일 때, 직선 $y = mx + b$와 함수 $y = x(x-2)$가 $x = \alpha$, $\beta \ (\alpha < \beta)$에서 만나고 $m > 0$이므로 $1 - \sqrt{2} < \alpha < 0$, $1 + \sqrt{2} < \beta$이다. 직선 $y = mx + b$와 함수 $y = -x(x-2)$의 그래프가 $x = p$에서 접하고 $m > 0$이므로 $0 < p < 1$이다. 따라서 $1 - \sqrt{2} < \alpha < p < 1$이고 $p < 1 < 1 + \sqrt{2}$이다.

$1 - \sqrt{2} < \alpha < p < 1$이므로 $\alpha \leq x \leq p$에서 직선 $y = mx + b$와 함수 $y = |x(x-2)|$의 그래프로 둘러싸인 도형은 $1 - \sqrt{2} \leq x \leq 1$에서 직선 $y = 1$과 함수 $y = |x(x-2)|$의 그래프로

둘러싸인 도형에 포함되고 같지 않다. 따라서 $1-\sqrt{2} \le x \le 1$에서 직선 $y=1$과 함수 $y=|x(x-2)|$의 그래프로 둘러싸인 도 형의 넓이를 S_0이라고 하면 $\alpha \le x \le p$에서 둘러싸인 도형의 넓이 S_1은 S_0보다 작고 같지 않다.

$p<1<1+\sqrt{2}<\beta$이므로 $p \le x \le \beta$에서 직선 $y=mx+b$와 함수 $y=|x(x-2)|$의 그래프로 둘러싸인 도형은 $1 \le x \le 1+\sqrt{2}$에서 직선 $y=1$과 함수 $y=|x(x-2)|$의 그래프로 둘러싸인 도형을 포함하고 같지 않다. 따라서 $1 \le x \le 1+\sqrt{2}$에서 직선 $y=1$과 함수 $y=|x(x-2)|$의 그래프로 둘러싸인 도형의 넓이를 $S_0{'}$이라고 하면, $p \le x \le \beta$에서 둘러싸인 도형의 넓이 S_2는 $S_0{'}$보다 크고 같지 않다. (i)의 결과로부터 $S_1 < S_0 = S_0{'} < S_2$이다.

(i), (ii)로부터 넓이가 같아지는 경우는 $b=1$일 때뿐이다.

[문항 3] (1)

문제에서 제시된 넓이 β인 도형은 [그림1]과 같이 반지름의 길이가 1이고 중심각의 크기가 $\dfrac{\pi}{3}$인 부채꼴에서 한 변의 길이가 1인 정삼각형을 뺀 것이다.

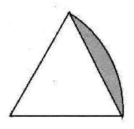
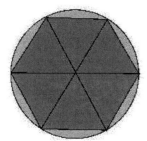

[그림 1]　　　　　[그림 2]

그림 P_0은 중심이 $(0, 0)$이고 반지름의 길이가 1인 원을 나타내므로 그림 P_0에 색칠 한 부분은 [그림 2]와 같이 한 변의 길이가 1인 정삼각형 6개와 제시된 넓이 β인 도형 6개로 분할된다. 따라서 그림 P_0의 넓이 S_0은 $6\alpha + 6\beta$이므로 구하는 자연수는 $a_0 = 6$, $b_0 = 6$이다.

[별해]

한 변의 길이가 1인 정삼각형의 넓이는 $\dfrac{1}{2} \cdot 1 \cdot 1 \cdot sin\dfrac{\pi}{3} = \dfrac{\sqrt{3}}{4}$이므로 $\alpha = \dfrac{\sqrt{3}}{4}$이다. 문제에서 제시된 넓이 β인 도형은 [그림1]과 같이 반지름의 길이가 1이고 중심각의 크기가 $\dfrac{\pi}{3}$인 부채꼴에서 한 변의 길이가 1인 정삼각형을 뺀 것이고 부채꼴의 넓이가 $\dfrac{1}{2} \cdot 1 \cdot 1 \cdot \dfrac{\pi}{3} = \dfrac{\pi}{6}$이므로 $\beta = \dfrac{\pi}{6} - \dfrac{\sqrt{3}}{4}$이다.

그림 P_0은 중심이 $(0, 0)$이고 반지름의 길이가 1인 원을 나타내므로 P_0의 넓이 S_0이 π이고

$$\pi = 6 \cdot \dfrac{\sqrt{3}}{4} + 6 \cdot \left(\dfrac{\pi}{6} - \dfrac{\sqrt{3}}{4}\right) = 6\alpha + 6\beta$$

이다. 따라서 구하는 자연수는 $a_0 = 6$, $b_0 = 6$이다.

[문항 3] (2)

그림 P_1은 [그림 3]과 같이, 그림 P_0에 [그림 4]와 같이 나타나는 도형 두 개를 더한 것이다.

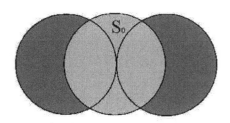

[그림 3]

[그림 4]

[그림 4]의 도형은 [그림 5]와 같이 분할되고, [그림 6]처럼 넓이가 β인 도형을 이동하면 [그림 4]의 도형의 넓이는 [그림 6]의 도형의 넓이와 같다. 따라서 [그림 4]의 도형의 넓이는 한 변의 길이가 1인 정삼각형 4개의 넓이와 제시된 넓이 β인 도형 2개의 넓이의 합이다. 그러므로 [그림 4]의 도형의 넓이를 $4\alpha + 2\beta$로 나타낼 수 있다.

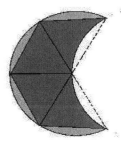

[그림 5]

[그림 6]

문항 (1)의 결과에 따라 S_0이 $6\alpha + 6\beta$이므로 그림 P_1의 색칠한 부분의 넓이 S_1은 $(6\alpha + 6\beta) + 2(4\alpha + 2\beta) = 14\alpha + 10\beta$이다. 따라서 구하는 자연수는 $a_1 = 14$, $b_1 = 10$이다.

[별해]

그림 P_1은 [그림 3]과 같이 그림 P_0에 [그림 4]와 같이 나타나는 도형 두 개를 더한 것이다. [그림 4]의 도형은 아래 [그림 7]과 같이 반지름의 길이가 1인 원에서, 반지름의 길이가 1이고 중심각의 크기가 $\dfrac{2\pi}{3}$인 부채꼴에서 호의 끝점과 중심을 연결한 삼각형을 뺀 도형의 넓이를 두 개 뺀 것이다.

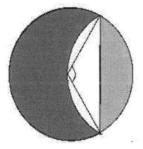

[그림 7]

부채꼴에서 삼각형을 뺀 도형의 넓이가

$$\frac{1}{2} \cdot 1 \cdot 1 \cdot \frac{2\pi}{3} - \frac{1}{2} \cdot 1 \cdot 1 \cdot sin\frac{2\pi}{3} = \frac{\pi}{3} - \frac{\sqrt{3}}{4}$$

이므로 [그림 4]의 도형의 넓이는

$$\pi - 2\left(\frac{\pi}{3} - \frac{\sqrt{3}}{4}\right) = \frac{\pi}{3} + \frac{\sqrt{3}}{2} = 2\left(\frac{\pi}{6} - \frac{\sqrt{3}}{4}\right) + 4 \cdot \frac{\sqrt{3}}{4} = 2\beta + 4\alpha$$

로 쓸 수 있다. 문항 (1)의 결과에 따라 S_0이 $6\alpha + 6\beta$이므로 그림 P_1의 색칠한 부분의 넓이 S_1은 $(6\alpha + 6\beta) + 2(4\alpha + 2\beta) = 14\alpha + 10\beta$이다. 따라서 구하는 자연수는 $a_1 = 14$, $b_1 = 10$이다.

[문항 3] (3)

자연수 n에 대하여 그림 P_n은 그림 P_{n-1}에 문항 (2)의 [그림 4]와 같이 나타나는 도형 두 개를 더한 것이다. 그러므로 그림 P_n의 넓이 S_n과 그림 P_{n-1}의 넓이 S_{n-1}의 차는 문항 (2)의 결과에 따라 $8\alpha + 4\beta$이다. 따라서 a_n이 첫째항 $a_1 = 14$이고 공차가 8인 등차수열이므로

$$a_n = 14 + 8(n-1) = 8n + 6$$

이다. 마찬가지로 b_n이 첫째항 $b_1 = 10$이고 공차가 4인 등차수열이므로

$$b_n = 10 + 4(n-1) = 4n + 6$$

이다. $n = 2023$을 대입하면 구하는 자연수는 $a_{2023} = 16190$, $b_{2023} = 8098$이다.

6. 2023학년도 이화여대 모의 논술

[문항 1]

양의 실수 a에 대하여 함수 $f(a)$는 $y = x^2$ 위의 점 (a, a^2)에서 접선과 직선 $y = 2$의 교점의 x 좌표로 주어진다. 모든 항이 양수인 두 수열 $\{a_n\}$, $\{b_n\}$이 모든 자연수 n에 대하여

$$a_{n+1} = f(a_n), \quad b_n = \frac{1}{2}\left(a_n + \frac{2}{a_n}\right)$$

을 만족시킬 때, 아래 물음에 답하시오. [35점]

(1) a_1이 양의 실수 일 때, $a_2 \geq \sqrt{2}$이 성립함을 보이시오.

(2) $a_1 \geq \sqrt{2}$일 때, 모든 자연수 n에 대하여 $a_n \geq \sqrt{2}$이 성립함을 수학적 귀납법을 이용하여 보이시오.

(3) $a_1 \geq \sqrt{2}$일 때, 모든 자연수 n에 대하여 $a_{n+1} \leq a_n$이 성립함을 보이시오.

(4) 모든 자연수 n에 대하여 $b_{n+1} \leq b_n$이 성립함을 보이시오.

[문항 2]

삼차함수 $f(x) = tx^3 + 3x^2 + 3x + 2023$가 $x = a, b(a < b)$에서 극값을 가지도록 하는 양의 실수 t를 생각할 때 점 $A(a, f(a))$, $B(b, f(b))$, $C(a, f(b))$에 관한 함수 $g(t) = \frac{\overline{BC}}{\overline{AB}}$에 대하여, 다음 물음에 답하시오. [35점]

(1) 식 $\dfrac{\displaystyle\int_a^b f'(x)dx}{t(b-a)^3}$ 의 값을 구하시오.

(2) $g(t_0)=\dfrac{2\sqrt{5}}{5}$ 일 때, t_0의 값을 구하시오.

(3) 문항 (2)의 t_0에 대하여, 직선 $x=a$, $y=f(b)$와 $y=f(x)$ $(x \geq a)$의 그래프로 둘러싸인 도형의 넓이를 구하시오.

(4) 극한값 $\displaystyle\lim_{t \to 0^+}\dfrac{g(t)}{t}$ 을 구하시오.

[문항 3]

다음 함수 f에 대하여 아래 물음에 답하시오. [30점]

> 실수 a에 대하여, 좌표평면의 집합 $A=\{(x,\ y)|8y \geq 3(|x|-|x-2|+4)\}$와 원 $(x-a)^2+(y-r)^2=r^2$이 한 점 또는 두 점에서 만나는 반지름 $r(>0)$이 있다. 이때 함숫값 $f(a)$는 r이다.

(1) $a>-1$일 때, 좌표 평면의 점 $\left(a,\ \dfrac{a+1}{3}\right)$에서 직선 $y=\dfrac{3}{4}(x+1)$에 내린 수선의 발을 a로 나타내시오.

(2) 실수 a에 대하여 원 $(x-a)^2+(y-r)^2=r^2$이 집합 A와 두 점에서 만나는 반지름 r이 있을 때, 실수 a를 모두 구하시오.

(3) $a>-1$일 때, 함수 $f(a)$를 구하시오.

[문항 1] (1)

풀이: 점 $(a,\ a^2)$에서 $y=x^2$의 접선의 방정식은 $y-a^2=2a(x-a)$이다. 접선과 직선 $y=2$와의 교점은 $2-a^2=2a(x-a)$를 만족한다. 이때 x좌표가 $f(a)$이므로

$$f(a)=a+\dfrac{2-a^2}{2a}=\dfrac{a}{2}+\dfrac{1}{a}$$

이다.

$a_1>0$에 대하여, $a_2=f(a_1)=\dfrac{a_1}{2}+\dfrac{1}{a_1}$이다. 산술 – 기하평균 부등식에 의하여

$$a_2=\dfrac{a_1}{2}+\dfrac{1}{a_1} \geq 2\sqrt{\dfrac{a_1}{2}\cdot\dfrac{1}{a_1}}=\sqrt{2}$$

이 성립한다.

[문항 1] (2)

$n=k$일 때, $a_k \geq \sqrt{2}$을 가정하자. $a_{k+1}=f(a_k)=\dfrac{a_k}{2}+\dfrac{1}{a_k}$이 성립한다.

a_k가 양수이므로 산술 – 기하평균 부등식에 의해서

$$a_{k+1} = \frac{a_k}{2} + \frac{1}{a_k} \geq 2\sqrt{\frac{a_k}{2} \cdot \frac{1}{a_k}} = \sqrt{2}$$

이 성립한다.

따라서 수학적 귀납법에 의해서 모든 자연수 n에 대하여 $a_n \geq \sqrt{2}$가 성립한다.

[문항 1] (3)

$a_1 \geq \sqrt{2}$이므로 문항 (2)의 결과로부터 모든 자연수 n에 대하여 $a_n \geq \sqrt{2}$이 성립한다.

$a_{n+1} = f(a_n) = a_n + \dfrac{2 - a_n^2}{2a_n}$이므로

$$a_{n+1} - a_n = \frac{2 - a_n^2}{2a_n} = \frac{(\sqrt{2} + a_n)(\sqrt{2} - a_n)}{2a_n} \leq 0$$

이 성립한다.

[문항 1] (4)

$b_n = \dfrac{1}{2}\left(a_n + \dfrac{2}{a_n}\right)$이므로, 모든 자연수 n에 대하여

$$b_n = \frac{1}{2}\left(a_n + \frac{2}{a_n}\right) = \frac{a_n}{2} + \frac{1}{a_n} = f(a_n) = a_{n+1}$$

이 성립한다. a_1이 양수이므로 (1)의 결과로부터 $a_2 \geq \sqrt{2}$이다. (2)의 증명과정의 수학적 귀납법을 이용하면 모든 자연수 n에 대하여 $a_{n+1} \geq \sqrt{2}$임을 알 수 있다.

따라서

$$b_{n+1} - b_n = a_{n+2} - a_{n+1} = \frac{2 - a_{n+1}^2}{2a_{n+1}} = \frac{(\sqrt{2} + a_{n+1})(\sqrt{2} - a_{n+1})}{2a_{n+1}} \leq 0$$

이 성립한다.

[문항 2] (1)

a, b가 $f'(x) = 0$의 두 근이므로 $f'(x) = 3t(x-a)(x-b)$이다. 따라서

$$\int_a^b f'(x)dx = \int_a^b 3t(x-a)(x-b)dx = -\frac{1}{2}t(b-a)^3$$

이다. $\dfrac{\displaystyle\int_a^b f'(x)dx}{t(b-a)^3} = \dfrac{-\dfrac{1}{2}t(b-a)^3}{t(b-a)^3} = -\dfrac{1}{2}$이다.

※별해: $\displaystyle\int_a^b f'(x)dx = \int_a^b (3tx^2 + 6x + 3)dx = t(b-a)\left(b^2 + ab + a^2 + \frac{3}{t}(a+b) + \frac{3}{t}\right)$이다.

여기서 방정식 $f'(x) = 3tx^2 + 6x + 3 = 0$의 두 근 a, b에 대한 근과 계수와의 관계를 적용하면

110

$$t(b-a)\left(b^2+ab+a^2-\frac{3}{2}(a+b)^2+3ab\right)=-\frac{1}{2}t(b-a)^3$$

이다. 따라서 $\dfrac{\displaystyle\int_a^b f'(x)dx}{t(b-a)^3}=\dfrac{-\dfrac{1}{2}t(b-a)^3}{t(b-a)^3}=-\dfrac{1}{2}$ 이다.

[문항 2] (2)

직각삼각형 ABC을 생각하면 주어진 조건 $g(t_0)=\dfrac{\overline{BC}}{\overline{AB}}=\dfrac{2\sqrt{5}}{5}$ 으로부터 $\overline{BC}=2\overline{AC}$이다.

$\overline{BC}=b-a$이고 $\overline{AC}=f(a)-f(b)$이다. 문항 (1)의 풀이에서

$$f(a)-f(b)=-\int_a^b f'(x)dx=\frac{1}{2}t(b-a)^3$$

이다. $\overline{BC}=2\overline{AC}$에 대입하면

$$b-a=2(f(a)-f(b))=t(b-a)^3$$

이므로 $t(b-a)^2=1$이다.

방정식 $f'(x)=3tx^2+6x+3=0$의 두 근 a, b에 대한 근과 계수와의 관계에서

$$(b-a)^2=(b+a)^2-4ab=\left(\frac{-6}{3t}\right)^2-4\left(\frac{3}{3t}\right)=\frac{4-4t}{t^2}$$

을 만족한다. 여기서 $b>a$이므로 $1-t>0$임을 알 수 있고 방정식 $f'(x)=3tx^2+6x+3=0$이 두 근을 가지는 조건과 일치한다. $1=t(b-a)^2=t\left(\dfrac{4-4t}{t^2}\right)=\dfrac{4}{t}-4$를 풀면 답은 $t_0=\dfrac{4}{5}$이다.

[문항 2] (3)

삼차함수는 변곡점을 중심으로 점대칭이므로 도형의 넓이는 삼각형 ABC의 넓이와 같다.

따라서 삼각형의 넓이는 $\dfrac{1}{2}\cdot\overline{BC}\cdot\overline{AC}=\dfrac{1}{2}(b-a)\left(\dfrac{1}{2}t(b-a)^3\right)=\dfrac{1}{4}t(b-a)^4$이다. 문항 (2)의

풀이에서 $(b-a)^2=\dfrac{1}{t}$이고 $t=\dfrac{4}{5}$이므로 구하는 넓이는 $\dfrac{1}{4t}=\dfrac{5}{16}$이다.

[문항 2] (4)

$g(t)=\dfrac{\overline{BC}}{\overline{AB}}$이므로 먼저 $\overline{AB}$를 구하면 $\overline{AB}=\sqrt{(f(a)-f(b))^2+(b-a)^2}$이다. 문항 (2)의 풀이

에서 $f(a)-f(b)=\dfrac{1}{2}t(b-a)^3$이고 $(b-a)^2=\dfrac{4-4t}{t^2}$이므로

$$\overline{AB}=\sqrt{\left(\frac{t(b-a)^3}{2}\right)^2+(b-a)^2}=\sqrt{\frac{(4-4t)^3}{4t^4}+\frac{4-4t}{t^2}}$$

이고 $\overline{BC}=b-a=\sqrt{\dfrac{4-4t}{t^2}}$ 이다. 따라서

$$\frac{g(t)}{t}=\frac{1}{t}\sqrt{\frac{\dfrac{4-4t}{t^2}}{\dfrac{(4-4t)^3+4t^2(4-4t)}{4t^4}}}=\sqrt{\frac{4}{(4-4t)^2+4t^2}}$$

이고 $\displaystyle\lim_{t\to 0^+}\frac{g(t)}{t}=\sqrt{\frac{4}{(4)^2}}=\frac{1}{2}$ 이다.

[문항 3] (1)

풀이: 직선 $y=\dfrac{3}{4}(x+1)$와 수직인 기울기는 $-\dfrac{4}{3}$이므로 점 $\left(a,\ \dfrac{a+1}{3}\right)$를 지나고 기울기 $-\dfrac{4}{3}$ 인 직선의 방정식은 $y-\dfrac{a+1}{3}=-\dfrac{4}{3}(x-a)$이다. 이 직선과 $y=\dfrac{3}{4}(x+1)$의 교점을 구하면 $\left(\dfrac{4a-1}{5},\ \dfrac{3a+3}{5}\right)$이다.

[문항 3] (2)

풀이: 집합 A는 좌표평면에서 함수 $y=\dfrac{3}{8}(|x|-|x-2|+4)$의 그래프와 그보다 위에 있는 점들이다. 원 $(x-a)^2+(y-r)^2=r^2$가 집합 A와 두 점에서 만나려면 $y=\dfrac{3}{8}(|x|-|x-2|+4)$의 그래프 중

$$y=\frac{3}{8}(x-(x-2)+4)=\frac{9}{4}\ (x\geq 2),\quad y=\frac{3}{8}(x+(x-2)+4)=\frac{3}{4}(x+1)\ (0<x<2)$$

와 각각 한 점에서 만나는 때이다. 원 $(x-a)^2+(y-r)^2=r^2$이 $y=\dfrac{9}{4}\ (x\geq 2)$과 한 점에서 만나려면 원의 중심 $(a,\ r)$이 직선 $y=\dfrac{9}{8}$ 위에 있어야 한다. 그리고 원 $(x-a)^2+(y-r)^2=r^2$이 $y=\dfrac{3}{4}(x+1)\ (0<x<2)$과 한 점에서 만나려면 원의 중심 $(a,\ r)$은 직선 $y=\dfrac{3}{4}(x+1)$과 x축까지의 거리가 같은 점으로

$$\frac{\left|y-\dfrac{3}{4}(x+1)\right|}{\sqrt{1^2+\left(\dfrac{3}{4}\right)^2}}=|y|$$

를 만족하고 y좌표가 양수이므로 $y=\dfrac{x+1}{3}$ 위에 있다. 두 직선 $y=\dfrac{9}{8}$와 $y=\dfrac{x+1}{3}$의 교점이 $\left(\dfrac{19}{8},\ \dfrac{9}{8}\right)$이므로 구하는 a는 $\dfrac{19}{8}$이다.

[문항 3] (3)

구하는 함수 $f(a)$는 구간 $a > -1$에서 함수 $y = \dfrac{3}{8}(|x| - |x-2| + 4)$의 그래프와 한 점 또는 두 점에서 만나는 원 $(x-a)^2 + (y-r)^2 = r^2$의 중심의 y좌표이다. 문항 (2)에서 $a = \dfrac{19}{8}$일 때만 두 점에서 만나므로 구간 $a > -1$에서 실수 $a = \dfrac{19}{8}$를 제외한 실수 a에 대하여 $f(a)$는 $y = \dfrac{3}{8}(|x| - |x-2| + 4)$의 그래프와 한 점에서 만나는 원 $(x-a)^2 + (y-r)^2 = r^2$의 중심의 y좌표이다.

(ㄱ) 문항 (2)에 따라 구간 $a \geq \dfrac{19}{8}$에서 그래프

$$y = \frac{3}{8}(x - (x-2) + 4) = \frac{9}{4} \quad (x \geq 2)$$

와 한 점에서 만나는 원 $(x-a)^2 + (y-r)^2 = r^2$의 중심은 $\left(a, \dfrac{9}{8}\right)$이다. 따라서 이 구간에서 함숫값은 $f(a) = \dfrac{9}{8}\left(a \geq \dfrac{19}{8}\right)$이다.

(ㄴ) 원 $(x-a)^2 + (y-r)^2 = r^2$이 그래프

$$y = \frac{3}{8}(x + (x-2) + 4) = \frac{3}{4}(x+1) \quad (0 \leq x < 2)$$

와 한 점에서 만나려면 원의 중심 (a, r)은 직선 $y = \dfrac{3}{4}(x+1)$과 x축까지의 거리가 같은 점으로 문항 (2)에 따라 중심은 $y = \dfrac{x+1}{3}$ 위에 있다. 따라서 원의 중심은 $\left(a, \dfrac{a+1}{3}\right)$으로 표현되고 이 점에서 그래프 $y = \dfrac{3}{4}(x+1) \ (0 < x < 2)$에 내린 수선의 발은 문항 (1)에 따라 $\left(\dfrac{4a-1}{5}, \dfrac{3a+3}{5}\right)$로 나타난다. $a = \dfrac{1}{4}$일 때 그래프 $y = \dfrac{3}{4}(x+1) \ (0 \leq x < 2)$의 끝점 $\left(0, \dfrac{3}{4}\right)$이 수선의 발이 되므로 함수 $f(a)$는 구간 $\dfrac{1}{4} \leq a < \dfrac{19}{8}$에서 그래프 $y = \dfrac{3}{4}(x+1) \ (0 \leq x < 2)$와 한 점에서 만나는 조건으로 결정된다. 따라서 여기서 구하는 함수는 $f(a) = \dfrac{a+1}{3}\left(\dfrac{1}{4} \leq a < \dfrac{19}{8}\right)$이다.

(ㄷ) 구간 $0 < a < \dfrac{1}{4}$에서는 원 $(x-a)^2 + (y-r)^2 = r^2$가 그래프의 점 $\left(0, \dfrac{3}{4}\right)$과 한 점에서 만나므로 $(0-a)^2 + \left(\dfrac{3}{4} - r\right)^2 = r^2$을 만족한다. 반지름 $r = \dfrac{2}{3}a^2 + \dfrac{3}{8}$이므로 여기서 구하는 함수는 $f(a) = \dfrac{2}{3}a^2 + \dfrac{3}{8}\left(0 < a < \dfrac{1}{4}\right)$이다.

7. 2022학년도 이화여대 수시 논술

[문항 1] 상수 $p(1 < p < 2)$에 대하여 함수 $f(x) = x^3 - px^2 + px$가 있다. 수열 $\{a_n\}$이 모든 자연수 n에 대하여

$$a_{n+1} = f(a_n)$$

을 만족시킨다. $0 < a_1 < 1$일 때, 아래 물음에 답하시오. [40점]

(1) $0 < x < \beta$에서 부등식 $f(x) > x$가 성립하고, $\beta < x < 1$에서 부등식 $f(x) < x$가 성립하는 β를 구하시오.

(2) 모든 자연수 n에 대하여 부등식 $0 < a_n < 1$이 성립함을 수학적 귀납법을 이용하여 보이시오.

(3) 문항 (1)에서 정해진 β에 대하여 $a_1 \ne \beta$일 때, 모든 자연수 n에 대하여 부등식 $0 < a_n < \beta$가 성립하거나, 모든 자연수 n에 대하여 부등식 $\beta < a_n < 1$이 성립함을 수학적 귀납법을 이용하여 보이시오.

(4) 문항 (1)에서 정해진 β에 대하여 $a_1 \ne \beta$일 때, 모든 자연수 n에 대하여 부등식 $a_{n+1} > a_n$이 성립하거나, 모든 자연수 n에 대하여 부등식 $a_{n+1} < a_n$이 성립함을 보이시오.

[문항 2] 아래 물음에 답하시오. [30점]

(1) 좌표평면에서 타원 $x^2 + 3y^2 = 3$과 직선 $y = x + k$가 서로 다른 두 점에서 만나도록 하는 실수 k의 값의 범위를 구하시오.

(2) 타원 $x^2 + 3y^2 = 3$위의 점 P에서의 접선의 기울기는 1이고, 점 P의 x좌표는 양수이다. 타원 $x^2 + 3y^2 = 3$과 직선 $y = x + k$가 서로 다른 두 점 Q, R에서 만날 때, 삼각형 PQR의 넓이를 $f(k)$라 하자. $f(k)$를 구하시오.

(3) 문항 (1)에 해당하는 실수 k에 대하여 $\{f(k)\}^2$의 최댓값을 구하시오.

[문항 3] 다음과 같이 실수 전체의 집합에서 정의된 함수 $f(s)$에 대하여 아래 물음에 답하시오. [30점]

좌표평면에서 실수 s에 대하여 원 $(x-s)^2+(y-r)^2=r^2$과 함수 $y=\dfrac{4}{3}|x|+8$의 그래프가 한 점에서 만날 때 원의 반지름의 길이를 $f(s)$라 하자.

(1) 점 $(4,\ 5)$에서 직선 $y=\dfrac{4}{3}x+8$에 내린 수선의 발을 구하시오.

(2) $s\geq 4$일 때, 함수 $f(s)$를 구하시오.

(3) $-4<s<4$일 때, 함수 $f(s)$를 구하시오.

[문항 1] (1)

함수 $g(x)$를 $g(x)=f(x)-x$라고 하자.
$$g(x)=x^3-px^2+(p-1)x=x(x-1)(x-p+1)$$
이므로 $g(x)=0$의 근은 $x=0,\ 1,\ p-1$이고 $1<p<2$이므로 $0<p-1<1$이다.

최고차항의 계수가 양수이고 삼차방정식이 서로 다른 세 근을 갖는 삼차함수의 그래프의 성질에 의해 $0<x<p-1$에서 $g(x)>0$이고, $p-1<x<1$에서 $g(x)<0$이다. 따라서 $0<x<p-1$에서 $f(x)>x$이고 $p-1<x<1$에서 $f(x)<x$이다. 따라서 구하는 β는 $p-1$이다.

[문항 1] (2)

$n=1$일 때, $0<a_1<1$이다.

$n=k$일 때, $0<a_k<1$을 가정하자. $a_{k+1}=f(a_k)$이므로 $0<f(a_k)<1$을 보이면 $0<a_{k+1}<1$이 성립한다. $f'(x)=3x^2-2px+p$이다.

이차방정식 $3x^2-2px+p=0$의 판별식을 이용하면 $D/4=p^2-3p=p(p-3)$이 $1<p<2$에서 $D/4<0$이므로 $f'(x)=3x^2-2px+p>0$이다. 따라서 함수 $f(x)$가 구간 $(-\infty,\ \infty)$에서 증가한다.

$f(0)=0$, $f(1)=1$이므로 $0<x<1$일 때, $0<f(x)<1$이다. $0<a_k<1$이므로 $0<f(a_k)=a_{k+1}<1$이다.

따라서 수학적 귀납법에 의해 모든 자연수 n에 대하여 $0<a_n<1$이 성립한다.

[문항 1] (3)

문항 (1)의 결과로부터 $\beta=p-1$이고 $0<a_1<\beta$인 경우와 $\beta<a_1<1$인 경우로 나누어 수열의 부등식이 성립함을 보인다.

(i) $0<a_1<\beta$인 경우

　　$n=1$일 때, $0<a_1<\beta$가 성립한다.

　　$n=k$일 때, $0<a_k<\beta$를 가정하자. 문항 (2)의 풀이로부터 $f(x)$가 구간 $(-\infty,\ \infty)$에서 증가하므로 $f(0)<f(a_k)<f(\beta)$이다. $f(0)=0$, $f(\beta)=\beta$이므로 $0<a_{k+1}<\beta$이다.

　　따라서 수학적 귀납법에 의해 모든 자연수 n에 대하여 $0<a_n<\beta$이다.

(ii) $\beta < a_1 < 1$인 경우

$n=1$일 때, $\beta < a_1 < 1$이 성립한다.

$n=k$일 때, $\beta < a_k < 1$을 가정하자. 문항 ②의 풀이로부터 $f(x)$가 구간 $(-\infty, \infty)$에서 증가하므로 $f(\beta) < f(a_k) < f(1)$이다. $f(\beta)=\beta$, $f(1)=1$이므로 $\beta < a_{k+1} < 1$이다.

따라서 수학적 귀납법에 의해 모든 자연수 n에 대하여 $\beta < a_n < 1$이다.

[문항 1] (4)

문항 (3)과 마찬가지로 $0 < a_1 < \beta$인 경우와 $\beta < a_1 < 1$인 경우로 나누어 수열의 부등식이 성립함을 보인다.

(i) $0 < a_1 < \beta$인 경우

문항 (3)의 결과로부터 모든 자연수 n에 대하여 $0 < a_n < \beta$이다.

문항 (1)의 결과로부터 $0 < x < \beta$이면 $f(x) > x$이므로 $f(a_n) > a_n$이다.

따라서 모든 자연수 n에 대하여 $a_{n+1} = f(a_n) > a_n$이 성립한다.

(ii) $\beta < a_1 < 1$인 경우

문항 (3)의 결과로부터 모든 자연수 n에 대하여 $\beta < a_n < 1$이다.

문항 (1)의 결과로부터 $\beta < x < 1$이면 $f(x) < x$이므로 $f(a_n) < a_n$이다.

따라서 모든 자연수 n에 대하여 $a_{n+1} = f(a_n) < a_n$이 성립한다.

[문항 2] (1)

식 $y=x+k$를 $x^2 + 3y^2 = 3$에 대입하면 $x^2 + 3(x+k)^2 = 3$이고,
$$4x^2 + 6kx + 3(k^2 - 1) = 0$$
을 얻는다. 이 이차방정식이 서로 다른 두 실근을 가져야 하므로 판별식 D가 양수여야 한다.
$$D/4 = 9k^2 - 4 \cdot 3(k^2 - 1) = -3k^2 + 12 = 3(4 - k^2) > 0$$
이므로 $4 - k^2 > 0$이다.

따라서 구하는 답은 $-2 < k < 2$이다.

[문항 2] (2)

문항 (1)의 풀이에서 직선 $y=x+k$가 타원 $x^2 + 3y^2 = 3$에 접할 때는 $D=0$일 때이다. 따라서 $k=\pm 2$이고, 이때 이차방정식
$$4x^2 + 6kx + 3(k^2 - 1) = 4x^2 \pm 12x + 9 = (2x \pm 3)^2 = 0$$
의 근은 $x = \mp \dfrac{3}{2}$이다.

이 중 양수인 경우는 $k=-2$일 때 $x = \dfrac{3}{2}$이며, 이때 $y = x + k = \dfrac{3}{2} - 2 = -\dfrac{1}{2}$이다. 따라서 P의

좌표는 $\left(\dfrac{3}{2},\ -\dfrac{1}{2}\right)$이다.

$-2<k<2$일 때 두 점 Q, R의 x좌표의 차는 이차방정식 $4x^2+6kx+3(k^2-1)=0$의 두 근의 차와 같으며, 이는 근의 공식 혹은 근과 계수의 관계를 이용하면 $\dfrac{\sqrt{3(4-k^2)}}{2}$임을 알 수 있다. 두 점 Q, R를 지나는 직선의 기울기가 1이므로, 선분 QR의 길이는 $\sqrt{2}\cdot\dfrac{\sqrt{3(4-k^2)}}{2}$이다.

점 $\mathrm{P}\left(\dfrac{3}{2},\ -\dfrac{1}{2}\right)$과 직선 $x-y+k=0$사이의 거리가

$$\frac{\left|\dfrac{3}{2}-\left(-\dfrac{1}{2}\right)+k\right|}{\sqrt{1^2+(-1)^2}}=\frac{|2+k|}{\sqrt{2}}$$

이므로 구하는 삼각형 PQR의 넓이는

$$f(k)=\frac{1}{2}\cdot\frac{\sqrt{2}\sqrt{3(4-k^2)}}{2}\cdot\frac{|2+k|}{\sqrt{2}}=\frac{\sqrt{3(4-k^2)}\,(2+k)}{4}$$

이다. (단, $-2<k<2$)

[문항 2] (3)

$-2<k<2$에서 함수 $g(k)$를 $g(k)=\{f(k)\}^2=\dfrac{3}{16}(4-k^2)(2+k)^2$이라 하고, k에 대하여 미분하면

$$g'(k)=\frac{3}{16}\left\{(-2k)(2+k)^2+(4-k^2)2(2+k)\right\}=\frac{3}{4}(2+k)^2(1-k)$$

이다. $-2<k<1$에서 $g'(k)>0$이므로 $g(k)$가 증가하고, $1<k<2$에서 $g'(k)<0$이므로 $g(k)$가 감소한다.

따라서 $g(k)=\{f(k)\}^2$은 $k=1$에서 최댓값 $\dfrac{3(4-1)(2+1)^2}{16}=\dfrac{81}{16}$을 갖는다.

[문항 3] (1)

직선 $y=\dfrac{4}{3}x+8$에 수직인 직선의 기울기는 $-\dfrac{3}{4}$이므로 기울기가 $-\dfrac{3}{4}$이고 점 $(4,\ 5)$를 지나는 직선의 방정식을 구하면 $y=-\dfrac{3}{4}(x-4)+5=-\dfrac{3}{4}x+8$이다.

이 직선과 주어진 직선 $y=\dfrac{4}{3}x+8$의 교점을 구하면 $(0,\ 8)$이다.

따라서 구하는 수선의 발은 $(0,\ 8)$이다.

[문항 3] (2)

문항 (1)의 점 $(4,\,5)$에서 직선 $y=\dfrac{4}{3}x+8$에 내린 수선의 발은 $(0,\,8)$이고 이 점은 함수 $y=\dfrac{4}{3}|x|+8$의 그래프 위에 있다. 점 $(4,\,5)$는 점 $(0,\,8)$과의 거리가 $\sqrt{(0-4)^2+(8-5)^2}=5$이고 x축과의 거리가 5이므로 원 $(x-4)^2+(y-5)^2=5^2$은 함수 $y=\dfrac{4}{3}|x|+8$의 그래프와 한 점 $(0,\,8)$에서 만나고 x축과 접한다. 따라서 $s=4$일 때 $f(4)=5$이다.

$s>4$일 때 x축에 접하는 원 $(x-s)^2+(y-r)^2=r^2$이 함수 $y=\dfrac{4}{3}|x|+8$의 그래프와 한 점에서 만나려면 원이 직선 $y=\dfrac{4}{3}x+8$에 접해야 한다. 좌표평면의 평행하지 않은 두 직선에 동시에 접하는 원의 중심은 두 직선의 각을 이등분하는 직선 위에 있으므로 두 직선 $y=\dfrac{4}{3}x+8$과 $y=0$의 각을 이등분하는 직선 중 제 1사분면을 지나는 직선을 구한다. 문항 (1)의 점 $(4,\,5)$가 두 직선 $y=\dfrac{4}{3}x+8$, $y=0$과 같은 거리에 있으므로, 구하려는 직선은 두 직선 $y=\dfrac{4}{3}x+8$과 $y=0$의 교점 $(-6,\,0)$과 점 $(4,\,5)$를 지나는 직선이다. 따라서 구하는 직선은 $y=\dfrac{0-5}{-6-4}(x-4)+5=\dfrac{1}{2}x+3$이고, $f(s)$를 결정하는 원의 중심이 $(s,\,f(s))$이므로 $s>4$일 때 $f(s)=\dfrac{1}{2}s+3$이다. $s=4$일 때 $\dfrac{1}{2}\cdot 4+3=5$이므로 $s\ge 4$일 때 구하는 함수는 $f(s)=\dfrac{1}{2}s+3$이다.

[별해]

문항 (1)의 점 $(4,\,5)$에서 직선 $y=\dfrac{4}{3}x+8$에 내린 수선의 발은 $(0,\,8)$이고 이 점은 함수 $y=\dfrac{4}{3}|x|+8$의 그래프 위에 있다. 점 $(4,\,5)$는 점 $(0,\,8)$과의 거리가 $\sqrt{(0-4)^2+(8-5)^2}=5$이고 x축과의 거리가 5이므로 원 $(x-4)^2+(y-5)^2=5^2$은 함수 $y=\dfrac{4}{3}|x|+8$의 그래프와 한 점 $(0,\,8)$에서 만나고 x축과 접해야 한다. 따라서 $s=4$일 때 $f(4)=5$이다.

$s>4$일 때 x축에 접하는 원 $(x-s)^2+(y-r)^2=r^2$이 함수 $y=\dfrac{4}{3}|x|+8$의 그래프와 한 점에서 만나려면 원이 직선 $y=\dfrac{4}{3}x+8$에 접한다. 따라서 조건을 성립하는 원의 중심 $(s,\,f(s))$와 직선 $y=\dfrac{4}{3}x+8$의 거리

$$\frac{\left|f(s)-\dfrac{4}{3}s-8\right|}{\sqrt{1^2+\left(-\dfrac{4}{3}\right)^2}}=\frac{3}{5}\left|f(s)-\frac{4}{3}s-8\right|$$

과 원의 중심 $(s,\ f(s))$와 x축의 거리 $|f(s)|$가 같으므로

$\dfrac{3}{5}\left|f(s)-\dfrac{4}{3}s-8\right|=|f(s)|$를 정리하면 $f(s)=\dfrac{1}{2}s+3(s>4)$이다.

$s=4$일 때 $\dfrac{1}{2}\cdot4+3=5$이므로 $s\ge4$일 때 구하는 함수는 $f(s)=\dfrac{1}{2}s+3$이다.

[문항 3] (3)

좌표평면에서 x축에 접하는 원 $(x-s)^2+(y-r)^2=r^2$이 함수 $y=\dfrac{4}{3}|x|+8$의 그래프 와 한 점

에서 만나려면 원이 반직선 $y=\dfrac{4}{3}x+8(x>0)$또는 $y=-\dfrac{4}{3}x+8(x<0)$에 접하거나 그래프의

꼭짓점 $(0,\ 8)$을 지난다.

$-4<s<4$이면 원 $(x-s)^2+(y-r)^2=r^2$이 두 반직선과 접하지 못하므로 원이 점 $(0,\ 8)$을

지난다. 따라서 조건을 만족하는 원의 중심 $(s,\ f(s))$와 점 $(0,\ 8)$의 거리

$\sqrt{(s-0)^2+(f(s)-8)^2}$과, 원의 중심 $(s,\ f(s))$와 x축과의 거리 $|f(s)|$가 같다.

$$(|f(s)|)^2=\left(\sqrt{s^2+(f(s)-8)^2}\right)^2=s^2+(f(s))^2-16f(s)+64$$

를 정리하면 $-4<s<4$에서 구하는 함수는 $f(s)=\dfrac{1}{16}s^2+4$이다.

[별해]

좌표평면에서 x축에 접하는 원 $(x-s)^2+(y-r)^2=r^2$이 함수 $y=\dfrac{4}{3}|x|+8$의 그래프와 한 점에

서 만나려면 원이 반직선 $y=\dfrac{4}{3}x+8(x>0)$또는 $y=-\dfrac{4}{3}x+8(x<0)$에 접하거나 그래프의 꼭

짓점 $(0,\ 8)$을 지난다.

$-4<s<4$이면 원 $(x-s)^2+(y-r)^2=r^2$이 두 반직선과 접하지 못하므로 원이 점 $(0,\ 8)$을

지난다. 따라서 조건을 만족하는 원의 중심 $(s,\ f(s))$와 점 $(0,\ 8)$의 거리와 원의 중심 $(s,\ f(s))$

와 x축과의 거리가 같다. 이 조건을 만족하는 점 $(s,\ f(s))$는 x축을 준선으로 하고 점 $(0,\ 8)$을

초점으로 하는 포물선 위에 있다. 포물선의 정의에 따라 이 포물선은 준선 $y=-4$, 초점 $(0,\ 4)$인

포물선 $x^2=4\cdot(4)y=16y$를 y축의 방향으로 4만큼 평행 이동한 것이므로 $x^2=16(y-4)$, 즉

$y=\dfrac{1}{16}x^2+4$이다. 따라서 $-4<s<4$에서 구하는 함수는 $f(s)=\dfrac{1}{16}s^2+4$이다.

8. 2022학년도 이화여대 모의 논술

[문항 1]

[35점]

(1) 실수 a에 대하여 부등식 $e^x - e^a \geq e^a(x-a)$가 성립함을 보이시오.

(2) 실수 a에 대하여 곡선 $y = e^x$ 위의 점 (a, e^a)에서의 접선이 직선 $y = 1$과 만나는 점을 $(b, 1)$이라 할 때, $e^b \geq 1$임을 보이시오.

(3) 수열 $\{a_n\}$이 아래 조건 (i), (ii)를 만족하면 수렴한다.

(i) $a_n \geq 0$(단, $n = 1, 2, 3, \cdots$)
(ii) $a_n \geq a_{n+1}$(단, $n = 1, 2, 3, \cdots$)

수열 $\{x_n\}$이 다음 규칙에 따라 정해질 때, 위의 조건 (i), (ii)를 만족함을 보임으로써 수열 $\{x_n\}$이 수렴함을 보이시오.

(ㄱ) $x_1 = 2022$
(ㄴ) 곡선 $y = e^x$ 위의 점 $\left(x_n, e^{x_n}\right)$에서의 접선이 직선 $y = 1$과 만나는 점의 x좌표가 x_{n+1}이다. (단, $n = 1, 2, 3, \cdots$)

[문항 2]

실수 A, B, C, D가 다음과 같이 주어질 때, 아래 물음에 답하시오. [30점]

$$A = \int_0^1 x^{2021}(1-x)^{2021}dx, \quad B = \int_0^1 x^{2022}(1-x)^{2022}dx$$
$$C = \int_0^1 x^{2022}(1-x)^{2021}dx, \quad D = \int_0^1 x^{2023}(1-x)^{2021}dx$$

(1) $B + D = C$ 임을 보이시오.

(2) $B = \dfrac{2022}{2023}D$ 임을 보이시오.

(3) $A - B - C = D$임을 보이고, $B = \dfrac{1011}{4045}A$임을 보이시오.

[문항 3]

다음 함수 f에 대하여 아래 물음에 답하시오. [35점]

실수 a에 대하여, 좌표평면의 선분 $\{(t, t+2) \| -1 \leq t \leq 1\}$과 원 $(x-a)^2 + y^2 = r^2$이 한 점에서 만나는 반지름 r의 최솟값 m이 있다. 이때 함숫값 $f(a)$는 m^2이다.

(1) 실수 $a \neq -2$에 대하여 점 $(a, 0)$에서 직선 $y = x + 2$에 내린 수선의 발을 a로 나타내시오.

(2) $a < 0$일 때 함수 $f(a)$를 구하시오.

(3) $a \geq 0$일 때 함수 $f(a)$를 구하시오.

[문항 1] (1)

풀이: 함수 $f(x) = e^x - e^a - e^a(x-a)$의 도함수 $f'(x) = e^x - e^a$는 $x < a$일 때 $f'(x) < 0$이고, $x > a$일 때 $f'(x) > 0$이며, $f'(a) = 0$이다. 함수 $f(x)$는 $x = a$에서 최솟값 $f(a) = 0$을 갖는다. 따라서 $f(x) \geq 0$이다. 즉 $e^x - e^a \geq e^a(x-a)$가 성립한다.

[별해]

$x = a$이면 $e^a - e^a = 0$이고 $e^a(a-a) = 0$이므로 부등식이 성립한다.

$x \neq a$이면 함수 $f(x) = e^x$가 미분가능하므로 평균값 정리에 의해

$$\frac{e^x - e^a}{x-a} = \frac{f(x) - f(a)}{x-a} = f'(c) = e^c$$

를 만족하는 c가 a와 x사이 ($a < c < x$혹은 $x < c < a$)에 존재하고 $e^x - e^a = e^c(x-a)$이다.

(ㄱ) $a < c < x$이면 $e^c > e^a$이고 $x - a > 0$이므로 $e^c(x-a) \geq e^a(x-a)$이다. 따라서 부등식 $e^x - e^a \geq e^a(x-a)$가 성립한다.

(ㄴ) $x < c < a$이면 $e^c < e^a$이고 $x - a < 0$이므로 $e^c(x-a) \geq e^a(x-a)$이다. 따라서 부등식 $e^x - e^a \geq e^a(x-a)$가 성립한다.

위에 의해 $e^x - e^a \geq e^a(x-a)$가 성립한다.

[문항 1] (2)

풀이: $x = a$에서 함수 $f(x) = e^x$의 미분계수가 e^a이므로, 곡선 $y = e^x$위의 점 (a, e^a)에서의 접선의 방정식은 $y - e^a = e^a(x-a)$이다. 이 접선이 직선 $y = 1$과 만나는 점이 $(b, 1)$이므로 $1 - e^a = e^a(b-a)$가 성립한다.

문항 (1)의 결과로부터 $e^a(b-a) \leq e^b - e^a$이 성립하므로 $1 - e^a \leq e^b - e^a$를 얻는다. 따라서 $e^b \geq 1$이 성립한다.

[문항 1] (3)

(i) 우선 $x_1 = 2022 \geq 0$이다.

곡선 $y = e^x$ 위의 점 (x_n, e^{x_n})에서의 접선이 직선 $y = 1$과 점 $(x_{n+1}, 1)$에서 만나므로 문항 (2)의 결과로부터 $e^{x_{n+1}} \geq 1$이 성립한다. 즉 $x_{n+1} \geq 0$이다. 따라서 모든 자연수 n에 대하여 $x_n \geq 0$이 성립한다.

(ii) 자연수 n에 대하여 $x_n \geq 0$이 성립하므로 $e^{x_n} \geq 1$이 된다. 한편 x_{n+1}은 식

$$1 - e^{x_n} = e^{x_n}(x_{n+1} - x_n)$$

을 만족하므로 $x_{n+1} \leq x_n$이 성립한다.

수열 $\{x_n\}$이 위의 조건 (i), (ii)를 만족하므로 수렴한다.

[문항 2] (1)

풀이: 정적분의 성질에 따라 다음을 얻는다.

$$B+D=\int_0^1 \left(x^{2022}(1-x)^{2022}+x^{2023}(1-x)^{2021}\right)dx$$

$$=\int_0^1 x^{2022}(1-x)^{2021}((1-x)+x)dx=\int_0^1 x^{2022}(1-x)^{2021}dx=C$$

[문항 2] (2)

정적분 $B=\int_0^1 x^{2022}(1-x)^{2022}dx$에 x^{2022}을 적분하고 $(1-x)^{2022}$을 미분하여 부분적분법을 적용하면 다음을 얻는다.

$$B=\left[\frac{x^{2023}}{2023}(1-x)^{2022}\right]_0^1-\int_0^1 \frac{x^{2023}}{2023}2022(1-x)^{2021}(-1)dx$$

$$=\frac{2022}{2023}\int_0^1 x^{2023}(1-x)^{2021}dx=\frac{2022}{2023}D$$

[문항 2] (3)

정적분의 성질에 따라 정적분 $A-B-C$를 다음과 같이 나타낸다.

$$A-B-C=\int_0^1 \left(x^{2021}(1-x)^{2021}-x^{2022}(1-x)^{2022}-x^{2022}(1-x)^{2021}\right)dx$$

$$=\int_0^1 x^{2021}(1-x)^{2021}(1-x(1-x)-x)dx$$

$$=\int_0^1 x^{2021}(1-x)^{2021}(1-x)^2dx$$

$$=\int_0^1 x^{2021}(1-x)^{2023}dx$$

이제 $t=1-x$로 놓으면 $\dfrac{dt}{dx}=-1$이고, $x=0$일 때 $t=1$, $x=1$일 때 $t=0$이므로

$$\int_0^1 x^{2021}(1-x)^{2023}dx=\int_1^0 (1-t)^{2021}t^{2023}(-dt)=\int_0^1 t^{2023}(1-t)^{2021}dt=D$$

이다. 따라서 $A-B-C=D$이다.

문항 (2)의 $B=\dfrac{2022}{2023}D$에서 $D=\dfrac{2023}{2022}B$를 얻고, 문항 (1)의 $B+D=C$에 대입하면

$$C=B+\frac{2023}{2022}B=\frac{4045}{2022}B$$

를 얻는다. 이제 $A-B-C=D$로부터

$$A=B+C+D=B+\frac{4045}{2022}B+\frac{2023}{2022}B=\frac{2\cdot 4045}{2022}B$$

이며, 정리하면 $B=\dfrac{1011}{4045}A$를 얻는다.

[문항 3] (1)

풀이: 직선 $y = x + 2$의 기울기가 1이므로 이 직선에 수직인 직선의 기울기는 -1이다. 기울기가 -1이고 점 $(a, 0)$을 지나는 직선은 $y = -(x-a) = -x + a$이다. 두 직선의 교점이 구하는 수선의 발이므로 답은 $\left(\dfrac{a}{2} - 1, \dfrac{a}{2} + 1 \right)$이다.

[문항 3] (2)

풀이: 실수 a에 대하여 좌표평면의 선분 $\{(t, t+2) | -1 \le t \le 1\}$과 원 $(x-a)^2 + y^2 = r^2$이 한 점에서 만나는 반지름 r이 최소가 되는 경우는 원 $(x-a)^2 + y^2 = r^2$이 주어진 선분에 접하거나 선분의 끝점 $(-1, 1)$, $(1, 3)$중 한 점만 만나는 때이다.

문항 (1)에 의해 $(x-a)^2 + y^2 = r^2$이 선분에 접하는 때는 실수 a가 $-1 \le \dfrac{a}{2} - 1 \le 1$이므로 $0 \le a \le 4$이다. 따라서 $a < 0$일 때 조건을 만족하는 최솟값 m을 반지름으로 하는 원 $(x-a)^2 + y^2 = m^2$은 선분에 접하지 않는다. $a < 0$일 때 원 $(x-a)^2 + y^2 = r^2$이 선분의 끝점 $(1, 3)$을 지나면 원 $(x-a)^2 + y^2 = r^2$이 선분과 한 점에서 만나는 반지름 r중 최댓값이 되므로, $a < 0$일 때 조건을 만족하는 원 $(x-a)^2 + y^2 = m^2$의 반지름 m은 선분의 끝점 $(-1, 1)$과 $(a, 0)$사이의 거리인 $\sqrt{(-1-a)^2 + 1^2} = \sqrt{a^2 + 2a + 2}$ 이다.

따라서 $a < 0$일 때 $f(a) = a^2 + 2a + 2$이다.

[문항 3] (3)

실수 a에 대하여 좌표평면의 선분 $\{(t, t+2) | -1 \le t \le 1\}$과 원 $(x-a)^2 + y^2 = r^2$이 한 점에서 만나는 반지름 r이 최소가 되는 경우는 원 $(x-a)^2 + y^2 = r^2$이 주어진 선분에 접하거나 선분의 끝점 $(-1, 1)$, $(1, 3)$중 한 점만 만나는 때이다.

문항 (2)의 풀이 과정을 참고하면 원 $(x-a)^2 + y^2 = r^2$이 선분에 접하는 때는 실수 a가 $0 \le a \le 4$를 만족할 때이므로 $0 \le a \le 4$와 $4 < a$로 구별하여 함숫값을 정한다.

(ㄱ) $0 \le a \le 4$일 때 구하는 반지름 m은 점 $(a, 0)$과 직선 $y = x + 2$사이의 거리인 $\dfrac{|0 - a - 2|}{\sqrt{1+1}} = \dfrac{|a+2|}{\sqrt{2}}$이고 주어진 함수는 $f(a) = \dfrac{(a+2)^2}{2}$이다.

(ㄴ) $4 < a$일 때 구하는 반지름 m은 선분의 끝점 중 한 점을 만나는 경우에서 구해진다. 문항 (2)와 마찬가지로 $4 < a$일 때 원 $(x-a)^2 + y^2 = r^2$이 선분의 끝점 $(-1, 1)$을 지나면 원 $(x-a)^2 + y^2 = r^2$이 선분과 한 점에서 만나는 반지름 r 중 최댓값이 되므로, 조건을 만족하는 원 $(x-a)^2 + y^2 = m^2$의 반지름 m은 선분의 끝점 $(1, 3)$과 $(a, 0)$사이의 거리인 $\sqrt{(1-a)^2 + 3^2} = \sqrt{a^2 - 2a + 10}$이다.

따라서 $4 < a$일 때 $f(a) = a^2 - 2a + 10$이다.

따라서 $a \ge 0$일 때, 함수 $f(a)$는

$$f(a) = \begin{cases} \dfrac{(a+2)^2}{2} & (0 \le a \le 4) \\ a^2 - 2a + 10 & (4 < a) \end{cases}$$

이다.

9. 2021학년도 이화여대 수시 논술

[문항 1]

모든 항이 양수인 두 수열 $\{a_n\}$, $\{b_n\}$이 $a_1 = 2$, $b_1 = 1$이고, 모든 자연수 n에 대하여

$$(a_{n+1})^2 = a_n + 1, \ b_{n+1} = 2 - \frac{1}{b_n + 1}$$

을 만족시킨다. 아래 물음에 답하시오. [35점]

(1) 부등식 $x^2 \le x + 1$의 해가 $\alpha \le x \le \beta$일 때 α, β를 구하고, 닫힌구간 $[0, \beta]$에서 함수 $f(x) = x + \dfrac{1}{x+1}$의 최댓값이 2임을 보이시오.

(2) β가 문항 (1)에서 정해질 때, 모든 자연수 n에 대하여 두 부등식 $a_n \ge \beta$와 $b_n \le \beta$가 각각 성립함을 수학적 귀납법을 이용하여 보이시오.

(3) 모든 자연수 n에 대하여 두 부등식 $a_n \ge a_{n+1}$과 $b_n \le b_{n+1}$이 각각 성립함을 보이시오

[문항 2]

좌표공간에 세 점 $O(0, 0, 0)$, $A(2, -\sqrt{2}, 0)$, $B(2, \sqrt{2}, 0)$이 있다. [35점]

(1) 세 점 O, A, B로부터 같은 거리에 있는 xy평면 위의 점 C의 좌표를 구하시오.

(2) 세 점 O, A, B로부터 같은 거리에 있는 좌표공간 위의 임의의 점 D에서 xy평면에 내린 수선의 발 H가 문항 (1)에서 구한 점 C와 같음을 보이시오.

(3) 문항 (2)에서 주어진 한 점 D에 대하여, 평면 OAD와 평면 OAB가 이루는 각의 크기를 θ라 하자. $\cos 2\theta = -\dfrac{1}{5}$일 때, 선분 OD의 길이를 구하시오. (단, 점 D의 z좌표는 양수이다.)

[문항 3]

자연수 n $(n \ge 3)$에 대하여 닫힌구간 $[1, n]$에서 정의된 연속함수 $f(x)$가 다음 조건을 만족시킬 때, 아래 물음에 답하시오.

(가) $f(1), f(2), f(3), \cdots, f(n)$은 n이하의 서로 다른 자연수이다.
(나) $1 \le k \le n-1$인 자연수 k에 대하여 닫힌구간 $[k, k+1]$에서 함수 $y = f(x)$의 그래프는 각각 두 점 $(k, f(k))$, $(k+1, f(k+1))$을 지나는 직선의 일부이다.

(1) 함수 $f(x)$가 $f(k)=k$ $(k=1, 2, 3, \cdots, n)$일 때 $\displaystyle\int_1^n f(x)dx$의 값을 구하시오.

(2) 조건 (가), (나)를 만족하는 모든 함수 $f(x)$에 대하여 $\displaystyle\int_1^n f(x)dx$의 최솟값을 구하시오.

(3) 문항 (2)의 최솟값을 갖는 함수 $f(x)$의 개수를 구하시오.

[문항 1] (1)

함수 $g(x)=x^2-x-1$에 대하여 $g(x)=0$의 해는 $x=\dfrac{1\pm\sqrt{5}}{2}$이다.

따라서 $g(x)\le 0$, 즉 $x^2\le x+1$의 해는 $\dfrac{1-\sqrt{5}}{2}\le x \le \dfrac{1+\sqrt{5}}{2}$이다.

그러므로 $\alpha=\dfrac{1-\sqrt{5}}{2}$, $\beta=\dfrac{1+\sqrt{5}}{2}$이다.

구간 $[0, \beta]=\left[0, \dfrac{1+\sqrt{5}}{2}\right]$에서 함수 $f(x)=x+\dfrac{1}{x+1}$은 잘 정의되고,

구간 $\left(0, \dfrac{1+\sqrt{5}}{2}\right)$에서

$$f'(x)=1-\dfrac{1}{(x+1)^2}>0$$

이다. 따라서 함수 $f(x)$는 구간 $\left[0, \dfrac{1+\sqrt{5}}{2}\right]$에서 증가함수이므로 $x=\dfrac{1+\sqrt{5}}{2}$에서 최댓값을 갖는다.

$$f\left(\dfrac{1+\sqrt{5}}{2}\right)=\dfrac{1+\sqrt{5}}{2}+\dfrac{1}{\dfrac{1+\sqrt{5}}{2}+1}=2$$

이므로 구간 $[0, \beta]$에서 $f(x)$의 최댓값은 2이다.

[문항 1] (2)

(i) 수열 $\{a_n\}$의 첫째항 $a_1=2\ge\dfrac{1+\sqrt{5}}{2}$이다.

$n=k$일 때 $a_k\ge\dfrac{1+\sqrt{5}}{2}$라 가정하면

$$\left(a_{k+1}\right)^2=a_k+1\ge\dfrac{1+\sqrt{5}}{2}+1=\left(\dfrac{1+\sqrt{5}}{2}\right)^2$$

이 성립한다. a_{k+1}이 양수이므로 $n=k+1$일 때 부등식 $a_{k+1}\ge\dfrac{1+\sqrt{5}}{2}$가 성립한다. 따라서 수학적 귀납법에 의해서 모든 자연수 n에 대하여 $a_n\ge\beta$가 성립한다.

(ii) 수열 $\{b_n\}$의 첫째항 $b_1 = 1 \leq \dfrac{1+\sqrt{5}}{2}$ 이다.

$n = k$일 때 $b_k \leq \dfrac{1+\sqrt{5}}{2}$ 라 가정하면

$$b_{k+1} = 2 - \frac{1}{b_k + 1} \leq 2 - \frac{1}{\dfrac{1+\sqrt{5}}{2} + 1} = 2 - \frac{2}{3+\sqrt{5}} = \frac{1+\sqrt{5}}{2}$$

가 되어 $n = k+1$일 때 부등식 $b_{k+1} \leq \dfrac{1+5}{2}$가 성립한다.

따라서 수학적 귀납법에 의해서 모든 자연수 n에 대하여 $b_n \leq \beta$가 성립한다.

[문항 1] (3)

(i) 문항 (1)의 결과로부터 $x \geq \dfrac{1+\sqrt{5}}{2}$ 일 때 $x^2 \geq x+1$이다.

문항 (2)의 결과로부터 $a_n \geq \dfrac{1+\sqrt{5}}{2}$ 이므로

$$(a_{n+1})^2 = a_n + 1 \leq (a_n)^2$$

이 성립한다. a_n, a_{n+1}이 양수이므로 $a_{n+1} \leq a_n$이 성립한다.

(ii) 문항 (1)의 결과로부터 $0 \leq x \leq \dfrac{1+\sqrt{5}}{2}$ 일 때 $x + \dfrac{1}{x+1} \leq 2$이다.

양수 b_n은 문항 (2)의 결과로부터 $b_n \leq \dfrac{1+\sqrt{5}}{2}$이므로 $b_n + \dfrac{1}{b_n + 1} \leq 2$이다.

따라서

$$b_{n+1} = 2 - \frac{1}{b_n + 1} \geq b_n$$

이 성립한다.

[문항 2] (1)

풀이: 점 C의 좌표를 $(x, y, 0)$로 두면 점 C로부터 각 점 O, A, B까지의 거리의 제곱은
$\overline{CO}^2 = x^2 + y^2$, $\overline{CA}^2 = (2-x)^2 + (-\sqrt{2}-y)^2$, $\overline{CB}^2 = (2-x)^2 + (\sqrt{2}-y)^2$
이다.

$\overline{CO}^2 = \overline{CA}^2$으로부터 $0 = -4x + 2\sqrt{2}\,y + 6$을 얻고

$\overline{CO}^2 = \overline{CB}^2$으로부터 $0 = -4x - 2\sqrt{2}\,y + 6$을 얻는다.

두 일차식을 연립하여 풀면 $0 = -8x + 12$이므로 $x = \dfrac{3}{2}$이고, $y = 0$이다.

따라서 점 C의 좌표는 $\left(\dfrac{3}{2}, 0, 0\right)$이다.

점 C는 선분 OA와 선분 OB의 수직이등분선의 교점이다. 선분 OA와 선분 OB의 중점을 각각

M, N이라 하면 두 점의 좌표는 각각 $M\left(1, -\dfrac{\sqrt{2}}{2}, 0\right)$, $N\left(1, \dfrac{\sqrt{2}}{2}, 0\right)$이다. 두 직선 OA,

OB의 기울기가 각각 $\dfrac{-\sqrt{2}-0}{2-0} = -\dfrac{\sqrt{2}}{2}$, $\dfrac{\sqrt{2}-0}{2-0} = \dfrac{\sqrt{2}}{2}$이므로 선분 OA의 수직이등분선은

점 M을 지나고 기울기가 $\dfrac{-1}{-\dfrac{\sqrt{2}}{2}} = \sqrt{2}$인 직선인 $y = \sqrt{2}(x-1) - \dfrac{\sqrt{2}}{2}$이고,

선분 OB의 수직이등분선은 점 M을 지나고 기울기가 $\dfrac{-1}{\dfrac{\sqrt{2}}{2}} = -\sqrt{2}$인 직선인

$y = -\sqrt{2}(x-1) + \dfrac{\sqrt{2}}{2}$이다.

이 두 직선의 교점을 구하면 $\sqrt{2}(x-1) - \dfrac{\sqrt{2}}{2} = -\sqrt{2}(x-1) + \dfrac{\sqrt{2}}{2}$로부터 $x = \dfrac{3}{2}$, $y = 0$을 얻

는다. 따라서 점 C의 좌표는 $\left(\dfrac{3}{2}, 0, 0\right)$이다.

[문항 2] (2)

점 H는 점 D에서 xy평면에 내린 수선의 발이므로

$\angle \mathrm{DHO} = \angle \mathrm{DHA} = \angle \mathrm{DHB} = 90\,°$이다.

피타고라스 정리에 의해

$$\overline{\mathrm{HO}}^2 = \overline{\mathrm{DO}}^2 - \overline{\mathrm{DH}}^2, \quad \overline{\mathrm{HA}}^2 = \overline{\mathrm{DA}}^2 - \overline{\mathrm{DH}}^2, \quad \overline{\mathrm{HB}}^2 = \overline{\mathrm{DB}}^2 - \overline{\mathrm{DH}}^2$$

이고, $\overline{\mathrm{DO}} = \overline{\mathrm{DA}} = \overline{\mathrm{DB}}$이므로 $\overline{\mathrm{HO}} = \overline{\mathrm{HA}} = \overline{\mathrm{HB}}$를 얻는다.

따라서 점 H는 세 점 O, A, B로부터 같은 거리에 있는 xy평면 위의 점이므로 문항 (1)에서
구한 점 C와 같다.

[별해]

점 D의 좌표를 (x, y, z)라 하자. 점 D로부터 각 점 O, A, B까지의 거리의 제곱은

$$\overline{\mathrm{DO}}^2 = x^2 + y^2 + z^2, \quad \overline{\mathrm{DA}}^2 = (2-x)^2 + (-\sqrt{2}-y)^2 + z^2,$$
$$\overline{\mathrm{DB}}^2 = (2-x)^2 + (\sqrt{2}-y)^2 + z^2$$

이다. $\overline{\mathrm{DO}}^2 = \overline{\mathrm{DA}}^2$으로부터 $\quad 0 = -4x + 2\sqrt{2}\,y + 6$을 $\quad$ 얻고 $\quad$ $\overline{\mathrm{DO}}^2 = \overline{\mathrm{DB}}^2$으로부터

$0 = -4x - 2\sqrt{2}\,y + 6$을 얻는다. 이 두 일차식은 문항 (1)의 풀이에서의 두 일차식과 같으므로 해

가 $x = \dfrac{3}{2}$, $y = 0$로 문항 (1)에서와 동일하다. 점 H는 점 $\mathrm{D}(x, y, z)$를 xy평면에 내린 수선의

발이므로 좌표가 $(x, y, 0)$이고 따라서 $\left(\dfrac{3}{2}, 0, 0\right)$이다. 그러므로 점 H는 문항 (1)에서 구한 점
C와 같다.

[문항 2] (3)

점 D의 평면 xy평면으로의 정사영, 즉 평면 OAB로의 정사영이 점 C이므로 삼각형 OAD를 평면 OAB로 정사영한 도형은 삼각형 OAC이다.

따라서 $\triangle OAC = \triangle OAD \cdot \cos\theta$ 이다.

삼각형 OAC의 넓이 $\triangle OAC$를 구하기 위해 선분 OC를 밑변으로 두면 변 OC가 x축에 포함되므로 $\overline{OC} = \dfrac{3}{2}$ 이며 높이는 점 A의 y좌표의 절댓값 $\sqrt{2}$ 이다.

따라서 $\triangle OAC = \dfrac{1}{2} \cdot \dfrac{3}{2} \cdot \sqrt{2} = \dfrac{3\sqrt{2}}{4}$ 이다.

삼각형 OAD는 $\overline{OD} = \overline{AD}$인 이등변삼각형이므로 점 D에서 변 OA에 내린 수선의 발은 변 OA의 중점 M이다.

$\overline{OA} = \sqrt{2^2 + \left(-\sqrt{2}\right)^2} = \sqrt{6}$ 이므로 $\overline{OM} = \dfrac{1}{2}\overline{OA} = \dfrac{\sqrt{6}}{2}$ 이다.

$\overline{OD} = t$ 라 하면 $\angle DMO = 90°$ 이므로 $\overline{MD}^2 = \overline{OD}^2 - \overline{OM}^2 = t^2 - \dfrac{3}{2}$ 이다.

따라서 $\angle OAD = \dfrac{1}{2}\overline{OA} \cdot \overline{MD} = \sqrt{\dfrac{3}{2}\left(t^2 - \dfrac{3}{2}\right)}$ 이다.

그러므로 $\cos\theta = \dfrac{\triangle OAC}{\triangle OAD} = \dfrac{\dfrac{3\sqrt{2}}{4}}{\sqrt{\dfrac{3}{2}\left(t^2 - \dfrac{3}{2}\right)}}$ 이다.

삼각함수의 덧셈정리에 의해 $\cos 2\theta = \cos(\theta + \theta) = 2\cos^2\theta - 1$이 성립하므로

$$-\dfrac{1}{5} = \cos 2\theta = 2\cos^2\theta - 1 = 2 \cdot \dfrac{\left(\dfrac{3\sqrt{2}}{4}\right)^2}{\dfrac{3}{2}\left(t^2 - \dfrac{3}{2}\right)} - 1 = \dfrac{3 - t^2}{t^2 - \dfrac{3}{2}}$$

이다. 따라서 $t^2 = \dfrac{27}{8}$ 이고, $\overline{OD} = t$는 양수이므로 $\overline{OD} = t = \dfrac{3\sqrt{6}}{4}$ 이다.

[별해1]

문항 (1)에 의해 삼각형 OAC는 $\overline{OC} = \overline{AC}$인 이등변삼각형이므로 점 C에서 변 OA에 내린 수선의 발은 변 OA의 중점 $M\left(1, -\dfrac{\sqrt{2}}{2}, 0\right)$ 이다. 삼각형 OAD는 $\overline{OD} = \overline{AD}$인 이등변삼각형이므로 점 D에서 변 OA에 내린 수선의 발은 변 OA의 중점 M이다. 따라서 선분 DM과 선분 CM은 모두 선분 OA에 수직이다.

그러므로 $\angle DMC = \theta$이고 $\cos\theta = \dfrac{\overline{CM}}{\overline{DM}}$ 이다.

$\overline{CM} = \sqrt{\left(1 - \dfrac{3}{2}\right)^2 + \left(-\dfrac{\sqrt{2}}{2} - 0\right)^2 + 0^2} = \dfrac{\sqrt{3}}{2}$ 이다.

$\overline{\text{OA}} = \sqrt{2^2 + \left(-\sqrt{2}\right)^2} = \sqrt{6}$ 에서 $\overline{\text{OM}} = \dfrac{1}{2}\overline{\text{OA}} = \dfrac{\sqrt{6}}{2}$ 이고, $\angle \text{DMO} = 90°$ 이므로 $\overline{\text{OD}} = t$ 라 하면

$$\overline{\text{DM}} = \sqrt{\overline{\text{OD}}^2 - \overline{\text{OM}}^2} = \sqrt{t^2 - \dfrac{3}{2}}$$ 이다.

따라서 $\cos\theta = \dfrac{\overline{\text{CM}}}{\overline{\text{DM}}} = \dfrac{\dfrac{\sqrt{3}}{2}}{\sqrt{t^2 - \dfrac{3}{2}}}$ 이다.

삼각함수의 덧셈정리에 의해 $\cos 2\theta = \cos(\theta + \theta) = 2\cos^2\theta - 1$이 성립하므로

$$-\frac{1}{5} = \cos 2\theta = 2\cos^2\theta - 1 = 2 \cdot \frac{\dfrac{3}{4}}{t^2 - \dfrac{3}{2}} - 1 = \frac{3 - t^2}{t^2 - \dfrac{3}{2}}$$

이다. 따라서 $t^2 = \dfrac{27}{8}$ 이고 $\overline{\text{OD}} = t$ 는 양수이므로 $\overline{\text{OD}} = t = \dfrac{3\sqrt{6}}{4}$ 이다.

[별해 2]

점 D의 좌표를 (x, y, z) 라 하자. 문항 (2)에 의해 점 D의 xy평면으로의 정사영이 점 $\text{C}\left(\dfrac{3}{2}, 0, 0\right)$이므로 점 D의 좌표는 $\left(\dfrac{3}{2}, 0, z\right)$이다.

문항 (1)에 의해 삼각형 OAC는 $\overline{\text{OC}} = \overline{\text{AC}}$인 이등변삼각형이므로 점 C에서 변 OA에 내린 수선의 발은 변 OA의 중점 $\text{M}\left(1, -\dfrac{\sqrt{2}}{2}, 0\right)$이다. 삼각형 OAD는 $\overline{\text{OD}} = \overline{\text{AD}}$인 이등변삼각형이므로 점 D에서 변 OA에 내린 수선의 발은 변 OA의 중점 M이다. 따라서 선분 DM과 선분 CM은 모두 선분 OA에 수직이다.

그러므로 $\angle \text{DMC} = \theta$이고 $\cos\theta = \dfrac{\overline{\text{CM}}}{\overline{\text{DM}}}$ 이다.

$\overline{\text{CM}} = \sqrt{\left(1 - \dfrac{3}{2}\right)^2 + \left(-\dfrac{\sqrt{2}}{2} - 0\right)^2 + 0^2} = \dfrac{\sqrt{3}}{2}$ 이고

$\overline{\text{DM}} = \sqrt{\left(1 - \dfrac{3}{2}\right)^2 + \left(-\dfrac{\sqrt{2}}{2} - 0\right)^2 + (0 - z)^2} = \sqrt{\dfrac{3}{4} + z^2}$ 이다.

따라서 $\cos\theta = \dfrac{\overline{\text{CM}}}{\overline{\text{DM}}} = \dfrac{\dfrac{\sqrt{3}}{2}}{\sqrt{\dfrac{3}{4} + z^2}}$ 이다.

삼각함수의 덧셈정리에 의해 $\cos 2\theta = \cos(\theta + \theta) = 2\cos^2\theta - 1$이 성립하므로

$$-\frac{1}{5} = \cos 2\theta = 2\cos^2 \theta - 1 = 2 \times \frac{\frac{3}{4}}{\frac{3}{4} + z^2} - 1 = \frac{\frac{3}{4} - z^2}{\frac{3}{4} + z^2}$$

이다. 따라서 $z^2 = \frac{9}{8}$ 이고 z는 양수이므로 $z = \frac{3\sqrt{2}}{4}$ 이다.

따라서 $\overline{\mathrm{OD}} = \sqrt{\left(\frac{3}{2}\right)^2 + 0^2 + \left(\frac{3\sqrt{2}}{4}\right)^2} = \frac{3\sqrt{6}}{4}$ 이다.

[문항 3] (1)

닫힌구간 $[1, n]$에서 정의된 연속함수 $f(x)$가 $f(k) = k\,(k = 1,\ 2,\ 3,\ \cdots,\ n)$이고 조건 (나)를 만족하면 함수 $f(x)$의 그래프는 좌표평면의 두 점 $(1, 1)$과 (n, n)을 직선으로 연결한 일차함수의 그래프의 일부이다. 그래프가 두 점 $(1, 1)$과 (n, n)을 지나는 일차함수는 $f(x) = x$ 이므로

$$\int_1^n f(x)\,dx = \int_1^n x\,dx = \left[\frac{x^2}{2}\right]_1^n = \frac{n^2 - 1}{2}$$

이다.

[별해]

닫힌구간 $[1, n]$에서 정의된 연속함수 $f(x)$가 조건 (가), (나)를 만족하면 닫힌구간 $[1, n]$에서 최솟값이 1이므로 구간 $[1, n]$에서 함숫값이 모두 양수이다. 따라서 $\int_1^n f(x)\,dx$는 함수 $f(x)$의 그래프, $x = 1$, $x = n$, x축으로 둘러싸인 도형의 넓이이다.

이 도형은 두 직선 $x = 1$, $x = n$이 평행인 사다리꼴이며 평행인 두 선분의 길이가 각각 1, n이고 높이가 $n - 1$이므로 구하는 넓이는 $\frac{(n+1) \times (n-1)}{2} = \frac{n^2 - 1}{2}$ 이다.

[문항 3] (2)

닫힌구간 $[1, n]$에서 정의된 연속함수 $f(x)$가 조건 (가), (나)를 만족하면 닫힌구간 $[1, n]$에서 최솟값이 1이므로 구간 $[1, n]$에서 함숫값이 모두 양수이다. 따라서 $\int_1^n f(x)\,dx$는 함수 $f(x)$의 그래프, $x = 1$, $x = n$, x축으로 둘러싸인 도형의 넓이이다. $k = 1,\ 2,\ 3,\ \cdots,\ n-1$에 대하여 이 도형을 닫힌구간 $[k, k+1]$ 위의 도형으로 나누면 두 직선 $x = k$, $x = k+1$을 평행선으로 하는 사다리꼴이 된다. 구간 $[k, k+1]$ 위의 사다리꼴은 평행인 두 선분의 길이가 각각 $f(k)$, $f(k+1)$이고 높이가 1이므로 이 사다리꼴의 넓이는 $\frac{\{f(k) + f(k+1)\} \times 1}{2}$ 이다. 따라서

$$\int_1^n f(x)\,dx = \sum_{k=1}^{n-1} \left(\frac{f(k) + f(k+1)}{2}\right)$$

$$= \left(\frac{f(1)+f(2)}{2}\right) + \left(\frac{f(2)+f(3)}{2}\right) + \cdots + \left(\frac{f(n-1)+f(n)}{2}\right)$$

$$= \frac{f(1)}{2} + f(2) + f(3) + \cdots + f(n-1) + \frac{f(n)}{2}$$

$$= \sum_{k=1}^{n} f(k) - \left(\frac{f(1)+f(n)}{2}\right)$$

이다. 조건 (가)에 의해

$$\{f(k) \mid k = 1, 2, 3, \cdots, n\} = \{1, 2, 3, \cdots, n\}$$

이므로 $\displaystyle\sum_{k=1}^{n} f(k) = \sum_{k=1}^{n} k = \frac{n(n+1)}{2}$ 이고

$$\int_{1}^{n} f(x)\,dx = \frac{n(n+1)}{2} - \left(\frac{f(1)+f(n)}{2}\right)$$

이다.

따라서 조건 (가), (나)를 만족하는 함수 $f(x)$들 중 $\dfrac{f(1)+f(n)}{2}$ 이 최댓값일 때

$\dfrac{f(1)+f(n)}{2}$ 이 최댓값 $\dfrac{n+(n-1)}{2} = \dfrac{2n-1}{2}$ 이 되고

$\displaystyle\int_{1}^{n} f(x)\,dx$ 는 최솟값 $\dfrac{n(n+1)}{2} - \dfrac{2n-1}{2} = \dfrac{n^2-n+1}{2}$ 을 갖는다.

[별해]

정적분의 성질에 따라 닫힌구간 $[1, n]$ 의 정적분을 $k = 1, 2, 3, \cdots, n-1$에서 구간 $[k, k+1]$ 위의 적분으로 나누어 쓰면

$$\int_{1}^{n} f(x)\,dx = \sum_{k=1}^{n-1} \int_{k}^{k+1} f(x)\,dx$$

이다. 정적분 $\displaystyle\int_{k}^{k+1} f(x)\,dx$ 는 구간 $[k, k+1]$ 에서 두 점 $(k, f(k))$, $(k+1, f(k+1))$ 을 직선으로 잇는 그래프로 나타나는 일차함수의 적분이다.

구간 $[k, k+1]$ 에서 그래프가 두 점 $(k, f(k))$, $(k+1, f(k+1))$ 을 지나는 일차함수 $f(x)$는

$$f(x) = \frac{f(k+1)-f(k)}{(k+1)-k}(x-k) + f(k) = \{f(k+1)-f(k)\}x - kf(k+1) + (k+1)f(k)$$

이므로 정적분 $\displaystyle\int_{k}^{k+1} f(x)\,dx$ 를 계산하면

$$\int_{k}^{k+1} f(x)\,dx = \int_{k}^{k+1} [\{f(k+1)-f(k)\}x - kf(k+1) + (k+1)f(k)]\,dx$$

$$= \left[\{f(k+1)-f(k)\}\frac{x^2}{2} + \{-kf(k+1) + (k+1)f(k)\}x\right]_{k}^{k+1}$$

$$= \frac{f(k+1)+f(k)}{2}$$

이다. 따라서

$$\int_1^n f(x)\,dx = \sum_{k=1}^{n-1}\int_k^{k+1} f(x)\,dx = \sum_{k=1}^{n-1}\left(\frac{f(k)+f(k+1)}{2}\right)$$

$$= \left(\frac{f(1)+f(2)}{2}\right)+\left(\frac{f(2)+f(3)}{2}\right)+\cdots+\left(\frac{f(n-1)+f(n)}{2}\right)$$

$$= \frac{f(1)}{2}+f(2)+f(3)+\cdots+f(n-1)+\frac{f(n)}{2}$$

$$= \sum_{k=1}^{n} f(k)-\left(\frac{f(1)+f(n)}{2}\right)$$

이다. 조건 (가)에 의해

$$\{f(k)\,|\,k=1,\,2,\,3,\,\cdots,\,n\}=\{1,\,2,\,3,\,\cdots,\,n\}$$

이므로 $\displaystyle\sum_{k=1}^{n} f(k)=\sum_{k=1}^{n} k=\frac{n(n+1)}{2}$ 이고

$$\int_1^n f(x)\,dx = \frac{n(n+1)}{2}-\left(\frac{f(1)+f(n)}{2}\right)$$

이다. 따라서 조건 (가), (나)를 만족하는 함수 $f(x)$들 중 $\dfrac{f(1)+f(n)}{2}$ 이 최댓값일 때

$\displaystyle\int_1^n f(x)\,dx$가 최솟값을 갖는다.

조건 (가)에 따라 함수 $f(x)$가 $f(1)=n$, $f(n)=n-1$이거나 $f(1)=n-1$, $f(n)=n$일 때

$\dfrac{f(1)+f(n)}{2}$ 이 최댓값 $\dfrac{n+(n-1)}{2}=\dfrac{2n-1}{2}$ 을 갖고

$\displaystyle\int_1^n f(x)\,dx$는 최솟값 $\dfrac{n(n+1)}{2}-\dfrac{2n-1}{2}=\dfrac{n^2-n+1}{2}$ 을 갖는다.

[문항 3] (3)

닫힌구간 $[1,\,n]$에서 정의된 연속함수 $f(x)$가 조건 (가)를 만족하면 함수 $f(x)$는 집합 $\{1,\,2,\,3,\,\cdots,\,n\}$에서 집합 $\{1,\,2,\,3,\,\cdots,\,n\}$으로의 일대일대응이다.

문항 (2)에서 구한 $\displaystyle\int_1^n f(x)\,dx$가 최솟값을 갖는 함수 $f(x)$는

집합 $\{1,\,2,\,3,\,\cdots,\,n\}$에서 집합 $\{1,\,2,\,3,\,\cdots,\,n\}$으로의 일대일대응이고

$f(1)=n$, $f(n)=n-1$이거나 $f(1)=n-1$, $f(n)=n$을 만족해야 한다.

따라서 함수 $f(x)$는 $f(1)=n$, $f(n)=n-1$이거나 $f(1)=n-1$, $f(n)=n$이고

집합 $\{l\,|\,2\le l\le n-1$인 자연수$\}$에서 집합 $\{m\,|\,1\le m\le n-2$인 자연수$\}$로 일대일대응이다.

집합 $\{l\,|\,2\le l\le n-1$인 자연수$\}$에서 집합 $\{m\,|\,1\le m\le n-2$인 자연수$\}$로 일대일대응의 개수는 원소의 개수가 $n-2$인 집합에서 $(n-2)$개의 원소를 선택하여 나열하는 순열의 수와 같으므로 $_{n-2}\mathrm{P}_{n-2}=(n-2)!$이다.

그러므로 $\displaystyle\int_1^n f(x)\,dx$가 최솟값이 되는 함수 $f(x)$의 개수는 $2(n-2)!$이다.

10. 2021학년도 이화여대 모의 논술

[문항 1]   [40점]

(1) 양의 실수 x에 대하여 부등식 $e^x > 1+x$가 성립함을 보이시오.

(2) 함수 $f(x) = x\ln\left(1+\dfrac{1}{x}\right)$이 구간 $(0, \infty)$에서 증가함을 평균값의 정리를 이용하여 보이시오.

(3) 수열 $\{a_n\}$이 아래 조건 (i), (ii)를 만족하면 수렴한다.

> (i) $a_n \le a_{n+1}$(단, $n = 1, 2, 3, \cdots$)
>
> (ii) 어떤 양의 실수 M에 대하여 $a_n \le M$(단, $n = 1, 2, 3, \cdots$)

수열 $\{b_n\}$의 일반항이 $b_n = \left(1+\dfrac{1}{n}\right)^n$ $(n = 1, 2, 3, \cdots)$일 때, 수열 $\{b_n\}$이 위의 조건 (i), (ii)를 만족함을 보임으로써 수렴함을 보이시오.

[문항 2]

함수 $f(x)$가 모든 실수 x에 대하여 $f(-x) = -f(x)$이면 함수 $f(x)$를 홀함수라 하고, $f(-x) = f(x)$이면 짝함수라 한다. 실수에서 정의된 함수에 대하여 다음 물음에 답하시오. [30점]

(1) 함수 $l(x) = e^x + e^{-x}$가 짝함수임을 보이시오.

(2) 홀함수이면서 짝함수인 함수 $h(x)$를 모두 찾으시오.

(3) 홀함수 f_1, f_2와 짝함수 g_1, g_2가 모든 실수 x에 대하여

$$f_1(x) + g_1(x) = f_2(x) + g_2(x)$$

일 때, $f_1(x) = f_2(x)$, $g_1(x) = g_2(x)$임을 보이시오.

(4) 함수 e^x가 홀함수 $a(x)$와 짝함수 $b(x)$에 대하여 $e^x = a(x) + b(x)$일 때, $b(2021) - a(2021)$의 값을 구하시오.

[문항 3]

좌표평면에 포물선 $y = x^2 + 9$와 포물선 $y = x^2$이 주어져 있다. 포물선 $y = x^2$위의 점 $A(0, 0)$과 $B(3, 9)$에 대하여, 다음 물음에 답하시오. [30점]

(1) 포물선 $y = x^2 + 9$위의 점 C에서의 접선이 선분 AC와 수직일 때, 점 C의 좌표를 구하시오.

(2) 포물선 $y = x^2 + 9$위의 점 D에서의 접선이 선분 BD와 수직일 때, 점 D의 좌표를 구하시오.

(3) 포물선 $y = x^2 + 9$, 포물선 $y = x^2$과 선분 AC, BD로 둘러싸인 도형의 넓이를 구하시오.

[문항 1] (1)

풀이: 함수 $g(x) = e^x - 1 - x$를 미분하면 $g'(x) = e^x - 1$이고, $g(0) = e^0 - 1 = 0$이다.

평균값의 정리에 의하여 다음을 만족하는 c가 $(0, x)$안에 적어도 하나 존재한다.

$$\frac{g(x)-g(0)}{x-0}=\frac{e^x-1-x}{x}=e^c-1=g'(c)$$

x와 c가 양의 실수이므로 $e^c-1>0$이고 $x>0$이다. 따라서 $g(x)=xg'(c)=x(e^c-1)>0$이다. 결론적으로 양의 실수 x에 대하여 부등식 $e^x>1+x$가 성립한다.

[문항 1] (2)

로그함수 $\ln x$의 도함수는 $\frac{1}{x}$이다. 평균값의 정리에 의하여 다음을 만족하는 c가 $(x,\ x+1)$안에 적어도 하나 존재한다.

$$\ln(x+1)-\ln x=\frac{1}{c}$$

함수 $f(x)=x\ln\left(1+\frac{1}{x}\right)=x\ln\left(\frac{x+1}{x}\right)=x(\ln(x+1)-\ln x)$를 미분하면

$$f'(x)=\ln(x+1)-\ln x+x\left(\frac{1}{x+1}-\frac{1}{x}\right)=\ln(x+1)-\ln x-\frac{1}{x+1}$$

이고, $\frac{1}{c}>\frac{1}{x+1}$이므로 $f'(x)>0$이다. 따라서 함수 $f(x)$는 구간 $(0,\ \infty)$에서 증가한다.

[문항 1] (3)

(2)의 결과로부터 함수 $f(x)=x\ln\left(1+\frac{1}{x}\right)$가 구간 $(0,\ \infty)$에서 증가함수이므로, 자연수 n에 대하여 아래 부등식이 성립한다.

$$n\ln\left(1+\frac{1}{n}\right)\le(n+1)\ln\left(1+\frac{1}{n+1}\right)$$

로그함수의 성질로부터

$$\ln\left(1+\frac{1}{n}\right)^n\le\ln\left(1+\frac{1}{n+1}\right)^{n+1}$$

이다. 로그함수 $\ln x$가 증가함수이므로

$$\left(1+\frac{1}{n}\right)^n\le\left(1+\frac{1}{n+1}\right)^{n+1}$$

이 성립한다. 따라서 수열 $\{b_n\}$은 조건 (i)을 만족한다.

(1)의 결과로부터 양의 실수 x에 대하여 부등식 $e^x>1+x$이 성립하므로, 자연수 n에 대하여 아래 부등식이 성립한다.

$$1+\frac{1}{n}<e^{\frac{1}{n}}$$

로그함수는 증가함수이므로

$$\ln\left(1+\frac{1}{n}\right)<\ln e^{\frac{1}{n}}=\frac{1}{n}$$

이 성립한다. 로그함수의 성질로부터

$$\ln\left(1+\frac{1}{n}\right)^n = n\ln\left(1+\frac{1}{n}\right) < 1 = \ln e$$

이다. 로그함수 $\ln x$가 증가함수이므로

$$\left(1+\frac{1}{n}\right)^n \le e$$

이 성립한다. 따라서 수열 $\{b_n\}$은 조건 (ii)를 만족한다.

수열 $\{b_n\}$이 조건 (i), (ii)를 만족하므로 수렴한다.

[문항 2] (1)

풀이: 함수 $l(x) = e^x + e^{-x}$가 짝함수임을 보이시오.

모든 실수 x에 대하여, 함수 $l(x)$가

$$l(-x) = e^{-x} + e^{-(-x)} = e^{-x} + e^x = l(x)$$

를 만족하므로 짝함수이다.

[문항 2] (2)

풀이: 만약 함수 $h(x)$가 홀함수이면서 짝함수이면, $h(-x) = h(x)$이고 $h(-x) = -h(x)$이다. 따라서 $h(x) = h(-x) = -h(x)$이므로 $h(x) = 0$이다. 이러한 함수는 함숫값이 항상 0인 상수함수 뿐이다.

[문항 2] (3)

주어진 식을 변형하면

$$f_1(x) - f_2(x) = g_2(x) - g_1(x)$$

로 쓸 수 있다. 좌변을 살펴보면 f_1, f_2가 홀함수이므로

$$f_1(-x) - f_2(-x) = -f_1(x) + f_2(x) = -\left(f_1(x) - f_2(x)\right)$$

즉 $f_1(x) - f_2(x)$는 홀함수이다. 함수 g_1, g_2가 짝함수이므로

$$g_2(-x) - g_1(-x) = g_2(x) - g_1(x),$$

즉 $g_1(x) - g_2(x)$는 짝함수이다. 따라서 $f_1(x) - f_2(x)$, $g_2(x) - g_1(x)$는 각각 홀함수이면서 짝함수이므로 (2)에 의해 $f_1(x) - f_2(x) = 0$, $g_2(x) - g_1(x) = 0$이다.

[문항 2] (4)

풀이: 만약 함수 e^x가 홀함수 $a(x)$와 짝함수 $b(x)$에 대하여 $e^x = a(x) + b(x)$로 표현되면, (3)에 의해 한 쌍 뿐임을 알 수 있다. 문제 (1)을 활용하여 함수 e^x를 나타내면

$$e^x = \left(\frac{e^x - e^{-x}}{2}\right) + \left(\frac{e^x + e^{-x}}{2}\right)$$

이고 함수 $a(x) = \dfrac{e^x - e^{-x}}{2}$와 $b(x) = \dfrac{e^x + e^{-x}}{2}$가

$$a(-x) = \frac{e^{-x} - e^{-(-x)}}{2} = \frac{e^{-x} - e^x}{2} = -a(x),$$

$$b(-x) = \frac{e^{-x} + e^{-(-x)}}{2} = \frac{e^{-x} + e^x}{2} = b(x)$$

를 만족하므로 문제에서 구하는 홀함수는 $a(x) = \dfrac{e^x - e^{-x}}{2}$ 이고 짝함수는 $b(x) = \dfrac{e^x + e^{-x}}{2}$ 이다.

따라서 $b(2021) - a(2021) = e^{-2021}$ 이다.

[문항 3] (1)

포물선 $y = x^2 + 9$의 점 $C(c,\, c^2 + 9)$에서의 접선의 기울기는 $f'(c) = 2c$이다.

(i) $2c = 0$이면, 점 $C(0,\, 9)$에서의 접선은 x축과 평행하고 선분 AC는 y축과 평행하므로 서로 수직이다.

(ii) $2c \neq 0$이면, 선분 AC는 기울기가 $\dfrac{(c^2 + 9) - 0}{c - 0} = \dfrac{c^2 + 9}{c}$ 이므로, 기울기 $f'(c) = 2c$인 접선과 수직 이려면 $2c \cdot \dfrac{c^2 + 9}{c} = -1$이어야 한다. 하지만 $2(c^2 + 9) \geq 2 \cdot 9 > 0$이므로 성립하지 않는다.

따라서 구하는 점은 $C(0,\, 9)$로 유일하다.

[문항 3] (2)

포물선 $y = x^2 + 9$의 점 $D(d,\, d^2 + 9)$에서의 접선의 기울기는 $f'(d) = 2d$이다.

(i) $2d = 0$이면, 점 $D(0,\, 9)$에서의 접선은 x축과 평행하다. 하지만 두 점 $B(3,\, 9)$와 $D(0,\, 9)$를 이은 선 분 BD는 y축과 평행하지 않으므로 $D(0,\, 9)$에서의 접선과 수직이 아니다.

(ii) $d = 3$이면, 점 $D(3,\, 18)$에서의 접선의 기울기는 $f'(3) = 6$이다. 그런데 두 점 $B(3,\, 9)$와 $D(3,\, 18)$을 이은 선분 BD는 y축과 평행하므로 점 $D(3,\, 18)$에서의 접선은 선분 BD와 수직이 아니다.

(iii) $2d \neq 0$, $d \neq 3$이면, 선분 BD는 기울기가 $\dfrac{(d^2 + 9) - 9}{d - 3} = \dfrac{d^2}{d - 3}$ 이므로, 점 D에서의 접선과 수직이려면 $2d \cdot \dfrac{d^2}{d - 3} = -1$이어야 한다.

정리하면 $0 = 2d^3 + d - 3 = (d - 1)(2d^2 + 2d + 3)$이고, 이차 방정식 $2d^2 + 2d + 3 = 0$은 판별식이 $2^2 - 4 \cdot 2 \cdot 3 = -20 < 0$이어서 실수해가 없으므로, $2d^3 + d - 3 = 0$의 실수해는 $d = 1$뿐이다.

따라서 구하는 점은 $D(1,\, 10)$으로 유일하다.

[문항 3] (3)

선분 AC는 y축의 일부이다. 직선 $x = 1$의 왼쪽 부분은 $0 \leq x \leq 1$, $x^2 \leq y \leq x^2 + 9$로 나타내어진다. 직선 $x = 1$의 오른쪽 부분은 $1 \leq x \leq 3$이며 선분 BD아래에 있고 포물선 $y = x^2$위에 있

는 영역이다. B(3, 9)와 D(1, 10)를 잇는 선분 BD는 기울기가 $\dfrac{10-9}{1-3}=-\dfrac{1}{2}$ 이므로, 해당 부분

은 $1 \le x \le 3$, $x^2 \le y \le -\dfrac{x}{2}+\dfrac{21}{2}$ 로 나타내어진다. 따라서 구하는 도형의 넓이는

$$\int_0^1 \left\{(x^2+9)-x^2\right\}dx + \int_1^3 \left\{\left(-\frac{x}{2}+\frac{21}{2}\right)-x^2\right\}dx$$

$$= [9x]_0^1 + \left[-\frac{x^2}{4}+\frac{21x}{2}-\frac{x^3}{3}\right]_1^3 = 9 + \frac{31}{3} = \frac{58}{3}$$

이다.